영화, 탐구노트 2019

## 유온

https://brunch.co.kr/@openchair

생각하기. 그리고 그 생각에 근거 더하기. 내가 살고 싶은 삶, 추구하는 삶을 지켜내기 위한 글을 써내려가기.

# 영화,
# 탐구노트
# 2019

유온 지음

# CONTENT

빅쇼트          007

보이후드       014

인 더 하우스     023

리틀 포레스트    030

나의 작은 시인에게   037

고스트 스토리    044

시티즌포       050

어떤 여인의 고백    058

노인을 위한 나라는 없다   063

친절한 금자씨    069

사일런스       075

테이크 쉘터     082

항거: 유관순 이야기   089

완벽한 타인     096

킬링 디어      103

분노          110

언더 더 트리     118

어느 가족     126

단지 세상의 끝     132

가버나움     139

에이 아이     146

플로리다 프로젝트     152

라라랜드     157

블레이드 러너 2049     163

나, 다니엘 블레이크     169

브이 포 벤데타     176

헤드윅     184

크래쉬     190

죄 많은 소녀     197

내일을 위한 시간     203

## 시작하기 전에

책보단 영화가 빨리 볼 수 있어서, 책보단 영화가 더 재밌을 것 같아서 영화 모임을 시작하게 되었다. 그러길 몇 년. 오랜 시간을 매주 영화와 함께 해서 그런가. 이젠 영화가 진심으로 좋다. 영화는 멀리서 봐도 좋지만 자세히 들여다볼 때 비로소 진정한 의미와 가치를 발견할 수 있다. 당시 자세히 들여다보기 위해 영화에 약간의 글을 남겼었다. 좋아하는 마음으로 진심을 가득 담아 꾹꾹 눌러쓴 옛 나의 감상. 오늘부터 오래된 나의 감상을 하나씩 풀어보려고 한다.

기록을 남겼던 시간, 2019

# 빅쇼트

아담 맥케이 감독의 빅쇼트(2015)

## 과정으로 사로잡기

이미 일어난 일로 관객을 사로잡으려면? 우린 모기지가 불러일으킨 처참한 결과를 알고 있다. 혹시나 모르는 이가 있을까 싶어 친절하게도 감독은 시작부터 결과를 알리고 들어간다. "결과보다 과정이 중요하다." 영화도 그렇다. 결과를 안다고 해서 과정이 재미없어지거나 무의미해지지 않는다. 과정을 어떻게 풀어내느냐에 따라 이미 알고 있는 사실, 결과는 처음과 완전히 다른 형태가 되거나 더 풍부한 코멘트가 달리게 된다.


## 현실적인 이야기로 불태우다

이 영화는 지극히 현실적이었다. 다큐멘터리 냄새도 조금 나는 것 같다. 영상을 보고 있노라면 우리가 바라보고 있는 이 화면이 카메라를 통해 전달되고 있는 것임이 뚜렷하게 느껴진다. 그만큼 부드럽지 않은 움직임. 이는 우리로 하여금 카메라를 자꾸만 의식하게 하고 현실의 공기로 환기한다. 중간중간에 삽입된 진짜 현실의 장면 또한 관객을 현실의 공간으로 끌어내린다.

이런 방식이 누릴 수 있는 효과는 무엇일까? 위기에 대한 경각심. 영화를 현실화하려는 감독의 노력이 나에게 미친 영향은 경각심이다. 물론 어떤 매체든 그 매체에서 출력되는 정보는 우리의 기억에 새겨져, 이후 우리의 생각과 행동에 영향을 미친다. 내가 주의만 기울인다면, 아니 어쩌면 주의를 기울이지 않아도 매체를 통해 경각심을 가질 수 있는 것이다. 이 영화는 여기에 현실감을 더함으로써 한발 더 나아갔다. 경각심에 깊은 분노의 골마저 패였다.

게다가 이 영화는 누군가에게 감정이입을 하기 힘든 형태이다. 그러다 보니 극 중 인물들이나 보이는 상황에 대해 당사자의 입장에서 한 발 떨어져 제삼자의 눈으로 바라보게 된다. 만약 감정이입을 하게 만드는 구조였다면 우린 체계를 향한 무력감을 느끼게 되었을지도 모른다. 하지만 한 발 떨어져 그들의 이야기를 보고 듣는 관찰자의 입장의 우리라면 무력감보단 투쟁 의지를 불태우게 된다.


## 하나의 위기와 세 가지 이야기

하나의 위기 위에 놓인 세 명의 사람이 눈에 띈다. 영화 <국가 부도의 날, 2018>도 세 개의 공통되면서도 개별적인 사건이 영화를 이루고 있다. 두 작품의 구성은 비슷해도 방향은 다르다. 빅쇼트의 경우 세 사람의 목적지는 이익을 얻는 것이다. 반면 국가 부도의 날은 한 사람은 이익을 위해, 한 사람은 이 사회를 지키기 위해, 한 사람은 자신의 삶, 가족을 지키기 위해 움직인다.

## 난 틀리지 않았어!

시장의 흐름을 파악했다. 표면적으로는 좋아 보이지만 내면은 썩을 대로 썩어있다. 이제 우리의 결정은 확실하다. 빅쇼트. 현재의 역방향에 당당히 거금을 투자한다. 그리고 이어지는 길고 외로운 싸움. 그들은 결국 원하던 승리를 맛보게 되지만 어딘가 개운치가 않다.

우린 가끔 대단한 뭔가를 알아버렸다 싶은 순간을 마주하게 된다. 이전과는 다른, 아주 획기적인 날. 마치 내가 다시 태어난 듯한 착각마저 드는 날. 이런 날을 마주하게 되는 계기의 순간은 이전의 흐름에 반하는 무언가 또는 새로운 무언가를 발견했을 때일 수도 있고, 기존에 알고 있던 사실이 다른 어떤 것과 결합하여 더 큰 의미로 발전하게 되었을 때일 수도, 힘든 싸움 끝에 간신히 결과에 도달했을 때일 수도 있다. 문제는 그러한 순간을 맞이한 이후엔 내가 다 안다는 착각에 쉽게 빠지게 되는데 아쉽게도 세상은 나의 기대만큼 단순치가 않다. 내가 생각지도 못한 다양한 요소들과 결합해서 보이는 게 세상이다. 아무리 내 의견이 그럴싸해 보여도 아닐 가능성이 존재하는 것이다.

이제 내가 틀렸을 가능성으로부터 탈출하여 내 말이 맞음을 검증받으려고 한다. 이 과정에는 많은 것들이 필요하다. 일단 우리가 결과와 연관된 수많은 사건을 알지 못하는 이상은 운이라는 게 필요하고, 대중의 반응도 굉장히 중요하다. 남들이 날 흔들어놓을 때 흔들리지 않을 인내심과 매 순간 검증을 위해 계속해서 발버둥 치기도 해야 한다. 대중들로부터 그리고 나 자신으로부터도 가라앉지 않게 하기 위해 계속해서 내 말을 증명할 근거를 찾아내고 이를 사람들에게 알려야 한다.

## 비관주의자의 손에도 기회는 머문다

낙관주의자와 비관주의자가 있다고 하자. 둘 중 누가 더 많은 기회를 잡게 되는가? 영화를 보는 동안 이 질문이 계속해서 머릿속을 맴돌았다. 영화 속 비관주의자들이 내 시선을 사로잡는다. 그들은 삐뚤어질 대로 삐뚤어진 마음으로 사회를 바라본다. 냉소적인 그들의 태도는 올 기회도 걷어차 버릴 기세로 차게 식어있다. 그런 이들에게 인생을 뒤엎을 키가 쥐어지게 된다.

비관주의자는 기회를 잡지 못한다? 아니었다. 비관적이라 해서 그들의 인생 전반이 세상을 등지고 있을 거란 생각은 나의 편견에 지나지 않았다. 단 하나의 특성만으로 누군가의 성공 가능성을 예측하기보다 그 사람을 이루고 있는 다양한 요소를 통해 그의 가능성을 내다봐야겠다.

# 보이후드

리처드 링클레이터 감독의 보이후드(2014)

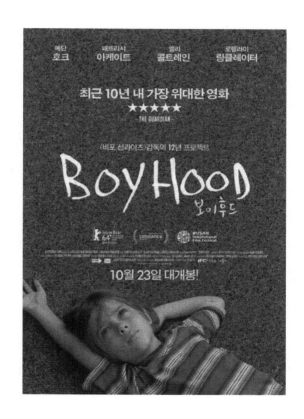

## 영화가 변했다면

나이를 또 한 번 먹어서일까. 지금의 내가 아이들에게 익숙해져서일까. 영화가 처음 봤을 때와는 너무나 달라졌다. 처음 이 영화를 봤을 땐 러닝타임에 1차로 압도당하고 영화의 지루함에 2차로 압도당했다. 다 보고 나서도 그다지 유쾌하다거나 감동적이거나 기억에 남는다거나 하지 않았다. 내 취향과 거리가 한참은 멀어서인지 그저 지루했던 기억뿐이다. 그래도 좋은 영화를 이대로 날리긴 싫어서 다음에 시간 나면 다시 봐야지 했는데 이날까지 잊고 있었다. 사실 그 길고 지루한 싸움을 선뜻 시작할 자신이 없어 잊은 척했단 게 더 맞는 말이겠지만.

그렇게 시간은 흘러 오늘이 되었다. 의무로 봐야 할 상황이 온 것이다. 보는 내내 몸을 비틀어대던 게 마치 어제의 일처럼 떠오르는데. 하지만 이제 시간이 얼마 남지 않았다. 이 악물고서라도 봐야 한다. 혼자 마음을 다잡고 영화를 틀었다. 그런데 정말 말도 안 되게 재밌었다. 3시간이 딱 적당하다 느껴질 만큼, 긴 시간이었음에도 끊어보기가 싫었을 만큼 지루함을 느낄 새가 없었다. 영화가 묘하게 관심을 잡아끌어서인지 장면 하나하나를 다 집중해서 보게 됐다. 그만큼 좋았다. 그래서 낯설었다. 너무나 상반된 이 두 감상이 나를 당황스럽게 했다. 그렇게 오래전 일도 아닌데, 그간 심경의 변화가 컸던 것도 아닌데 이렇게 다르게 보일 수가 있나.

같은 영화, 비슷한 시기, 거의 그대로인 듯이 보이는 나. 그럼에도 영화는 완전히 다르게 보이고 우린 다른 느낌을 받는다. 시간에 따라, 환경에 따라 많은 것이 달라진다. 겉으론 그대로일지라도, 나조차 인지하지 못했을지라도 내면은 잠깐 사이에도 크게 바뀐다. 모든 건 나로부터 시작된다. 영화의 변화도 나로부터 시작된다.

## 아이가 담긴 영화를 보다

최근 고레에다 히로카즈 감독의 <아무도 모른다, 2004>를 봤다. 아이의 성장을 담아냈던 점에서 (심지어 러닝타임도 비슷하다!) 보이후드와 공통되기에 나는 이 두 작품을 나란히 놔두고 서로 비교하게 됐다. 그리고 발견한다. 이 두 영화의 가장 큰 차이가 아이를 관찰하는 시선과 관찰하는 시간이라는 것을.

아무도 모른다의 경우 영화는 아이들이 처한 상황에 분노하게 한다. 저 착하

디착한 아이들이 버려진 사실에 대한 분노. 그리고 이들의 생존, 그 힘겨운 싸움에 대한 안타까움에서 번진 분노. 우린 이를 사계가 한 바퀴 돌 동안 보게 된다. 일 년이라는 시간 동안 아이들의 고통을 목격하게 되는 것이다. 그런 상황에서 우린 목격자이자 영화 속 아이가 되어 이러지도 저러지도 못하는 입장에 더 고통받게 된다.

보이후드는 고통으로 점철된 아이를 보여주지 않는다. 그렇다고 마냥 희망만을 예찬하는 그런 영화도 아니다. 비록 우여곡절은 있었지만, 사람들에게 둘러싸여 사랑을 받기도 하고 좋아하는 일을 찾게 되기도 한다. 이 영화를 보면서는 외롭단 느낌을 거의 받지 못했다. 친구도 가족도 있는 삶이다. 그 속에서 이해받지 못하는 외로움은 있었지만, 그것은 순간에 지나지 않는다. 그런 모든 사실을 감독은 아주 긴 시간 동안 진득하게 담아낸다. 여기서도 우린 마찬가지로 관찰자의 입장과 아이의 입장을 동시에 취하게 된다. 그러나 이러지도 저러지도 못하는 난처함이 아닌 부모와 같은 마음으로 끈기 있게 바라보게 된다. 마음이 쓰리기도, 훈훈해지기도, 허전해지기도, 꽉 들어찬 기분도 느끼게 된다.

# 이사

지금까지 함께 했던 집에서 나의 자람의 흔적을 모두 지우고 떠난다. 그것이 이사이다. 잦은 이사로 아이들은 그간의 흔적을 여럿 지웠다. 그렇다고 나의 소중했던 과거가 지워지는 것은 아니다. 하지만 다른 이에 비해 상대적으로 많은 기억이 옅어진다. 잊고 싶지 않아도 다른 환경에 적응하기 위해, 지금을 살아가기 위해 과거는 뒤로 밀려난다. 과거는 나를 이루고 있는 모든 것이다. 현재를 살아가고 있는 나는 과거로부터 만들어진다. 그런 과거가 흔적을 감추게 된다는 사실이 이 영화에서 가장 잔인한 장면이었다.

## 자라는데 걸리는 시간과 그 적정 속도

"집 떠나 혼자 살고 사진에 대해선 좀 더 배우겠지만 대학생 된다고 뭔가 확변할 거 같진 않아. 그냥 우리에게 주어진 인생의 길일 뿐. 이게 미래의 열쇠는 아냐. 우선 우리 엄마를 봐. 학위도 땄고 좋은 직업도 있고 돈도 벌지만, 우리 엄마도 나만큼 헤매면서 산다는 거지."

"이젠 뭐가 남았는지 알아? 내 장례식만 남았어! 난 그냥 뭔가 더 있을 줄 알았어."

성장의 끝은 어디인가. 완성됐다고 느끼게 되는 순간은 언제쯤이면 마주할 수 있을까. 아이를 다 키워 독립시키고 나면 내 삶은 완성되어 있을까? 내가 원하는 직급을 얻게 되면 그땐 완성이란 말을 붙일 수 있을까? 우리는 아무리 더 나은 삶을 위해 아등바등 살아도 공허함을 느낀다. 열심히 노력해서 원하던, 목표하던 것을 얻어도 성취감을 느끼는 것은 그 순간뿐이다.

조금은 내가 여유로워졌을 때 지난날의 나를 되돌아보는 날이 한번은 찾아온다. 그리고 그날 난 뭘 위해 이리 열심히만 살았는지, 내게 남은 것은 뭔지를 자문하며 괴로워하는 순간을 마주하게 된다.

"진작 끝냈어야지. 전원차단"

우리는 저마다 자라는데 적당한 속도가 있다. 너무 빠르지도, 그렇다고 너무 느리지도 않은, 남들과는 다른 그런 속도 말이다. 그런데 세상은 그 적정 속도는 무시하고 그저 나를 향해 "빠르게 빠르게"만을 외친다. 자라기만 한다고 내가 완성되는 것도 아닌데. 세상은 나의 속보다는 빈껍데기만 키워내려는 듯하다.

"아뇨. 아직이요."를 연발하는 메이슨에겐 느린 속도가, 사만다는 그보다는 빠른 속도가 어울린다. 제 속도를 살아내고 있는 아이들은 이 사회가 강요하는 속도와 달라 불안을 느낄지라도 남들보다 조금은 더 단단해 보인다. 우리가 자신을 단단히 하려면 우리에게 알맞은 속도로 자라야 한다. 그 적당한 속도에 맞춰 내 속을 든든히 채워야 비로소 쉽게 흔들리지 않는 튼튼한 어른이 되는 것이다.

## 우울한 아이의 탄생

사랑의 격차. 형제가 있다면 사랑과 관심은 상대적이게 된다. 누구는 조금 더 이쁨받고 누구는 조금 더 등한시된다. 절대적일 것 같은 사랑에도 어쩔 수 없이 서열이 매겨진다.

사만다는 뭐든 잘하는 데다 어른들이 좋아할 법한 모습을 잘 보여주기에 어른들에게 이쁨을 받는다. 이 아이는 자라서 활발하고 밝은 아이가 된다. 게임을 좋아하고 공부에는 흥미를 보이지 않는, 생각이 깊은 메이슨은 사만다보다 어른들의 주목을 받지 못한다. 이 아이에겐 우울함이 많이 고이게 된다.

물론 메이슨이 원래 그런 성향이었던 것일 수도 있다. 그러나 밀린 사랑의 서열이 아이에게 아무런 영향을 주지 않았다고는 생각지 않는다. 아이는 사랑을 먹고 자란다. 그리고 인간은 누구든 질투심을 느낀다. 누구보다 덜한 사랑을 받으면 불만이 자리 잡게 되고 이것들이 쌓여 이후 폭발하거나 체념하거나 하는 방향으로 나아가게 된다. 메이슨의 우울은 그 중 체념을 선택한 결과가 아닐까 싶다.

# 인 더 하우스

프랑소와 오종 감독의 인 더 하우스(2012)

## 어떤 욕망에서 시작된

완벽해 보이는 집, 완벽한 가정, 완벽한 여인. 자신은 가지지 못한 완벽함을 갖춘 집은 클로드의 눈길을 사로잡는다. 완벽한 가정의 존재에 대한 호기심이었을까, 자신도 가지고 싶단 욕심이었을까, 따뜻한 분위기 속에 녹아보고 싶었던 것일까, 완벽한 형태를 부수고 싶단 짓궂은 마음 때문이었을까. 이유야 어찌 되었든 그는 그 집에 들어가고 싶은 충동을 느꼈고 그런 자신의 욕망을 실현한다.

그의 욕망, 그 진정한 근원은 어디에 닿아있을까? 내가 가지고 있던 편견 중 하나는 '예술 작품이라면 무조건 아름다움을 향한 갈망에 그 뿌리를 두어야 한다' 는 것이다. 그러나 영화 속 클로드에게서 비롯되는 글은 아름답기를 희망하는 것 같지는 않다. 그리고 아름다워지길 바라는 것 같지도 않다. 그가 소설에 담아내고 있는 욕망은 그저 자신이 원하는 것을 밖으로 들어내기 위함이며, 이를 통해 어떤 이의 관심과 인정을 받기 위함일 뿐이었다.

## 아름다움을 가지게 되는 순간

소설에 투영된 클로드의 마음이야 어떻든 우린 그의 소설을 보며 아름다움을 느낀다. 웃긴 일이다. 우리가 선뜻 자신이 욕망하는 것을 드러내기 어려운 이유는 타인으로부터 더럽다는 시선을 받게 될까 두렵기 때문이다. 그러나 이 영화에서 보이는 모든 열망은 더럽기는커녕 예술이란 이름을 붙여 마땅하다.

제르망의 아내, 쟝의 갤러리를 떠올려보자. 그녀의 갤러리는 성인용품점을 의심케 하는 작품부터 특별할 것 없는, 아주 일상적인 물건까지 전시된다. '저런 아무 가치도 느껴지지 않는 것들이 정말 예술작품이라고?' 이 갤러리에서 전시되는 작품들은 아무런 감흥 없이 그저 헛웃음만을 불러일으킨다.

이를 비웃기라도 하듯 연이어 클로드의 소설이 등장한다. 그의 글은 현실이라면 더럽다 손가락질받을 수 있는 불륜 이야기에 지나지 않는다. 하지만 앞서 말한 작품들과는 달리 클로드의 소설은 아름답게 느껴진다. 이들 사이에는 어떤 차이가 있을까? 나는 이를 열망의 공유에서 찾았다. 나 또한 그가 열망하는 것을 함께 열망하게 됨으로써 그의 욕망이 아름다워지는 것이다.

이러한 열망의 전이를 위해 작가 또는 감독은 독자나 관객이 주인공에게 감정이입을 하게끔 만들 수도 있고, 여러 장치를 통해 몰입감을 줄 수도 있으며, 장면 간의 연결과 이야기의 전개 속도를 통해 우릴 감정적으로 몰아붙일수도 있다. 또한 현실과는 다른 공간임을 종종 일깨워줄 수도 있다. 그런 욕망이 드는 것은 인간으로서 당연한 것임을 공개적으로 인정해주기도 한다. 이런 여러 가지 방식을 통해 작품을 접하고 있는 이들이 현실에서의 자신을 포기하고 작품에 직접 참여하게 한다. 그렇게 우리는 새로이 거듭난다. 더럽던 욕망은 어느새 나의 경험 화 되어 이전과는 달리 아름다움을 지니게 된다.

## 담아내고 싶은 사람, 담아내고 싶은 욕망

담아내고 싶은 사람 또는 그러한 것들은 어떤 형태를 이루고 있으며, 나의 어떤 욕망을 자극한 것일까. 영화를 보면서 정말 공감이 많이 갔던 부분은 작품 소재를 발견하는 과정이었다.

나 또한 눈에 띄는, 글로써 담아내고 싶은 이들이 있다. 가깝게는 동네 미친 아줌마부터 시작해서 한때 매주 밤늦게 버스에서 마주치던 빨간 패딩 할머니, 막 중학교 들어갔을 때 내 눈을 똑바로 바라보며 메롱을 외치고 지나갔던 아저씨, 어릴 적 우릴 보며 인자하게 웃어주시던 벙어리 할머니와 요즘 거의 매일 만나는 독특한 성격의 아이들. 그들을 만난 것은 나에게 있어 굉장히 특별한 사건이다.

하루하루가 똑같기만 한 일상에서 만나게 된 이 특이한 인물들은 나의 호기심을 자극하기 충분하다. 그들은 과연 어떤 이야기를 거쳐 지금의 모습이 되었는가. 그것을 상상해보는 것만으로도 한 편의 작품이 탄생할 것만 같은 기분에 휩싸인다.

## 틈

누구에게나 틈은 존재한다. 에스터와 제르망의 경우 이 틈은 아주 작아 주의 깊게 들여다보지 않으면 알아채기 힘들다. 클로드의 경우는 그 틈이 눈에 띄게 크다.

틈이 작은 사람은 이 틈의 존재에 부주의하다. 알면서도 큰일 있겠나 싶어 무시한다. 틈이 큰 사람은 그 틈을 메꾸려 노력하거나, 숨기려고 노력하거나, 타인의 틈을 무너뜨려 자신과 동일하게 만들려 노력한다. 그렇게 틈이 큰 사람은 아등바등 노력하며 산다. 클로드와 제르망, 이들의 차이는 여기, 이 틈에 있다.

# 리틀 포레스트

임순례 감독의 리틀 포레스트(2018)

# 한국판과 일본판

처음 본 리틀 포레스트는 일본에서 만든 작품이었다. 임순례 감독과 김태리의 조합으로 한국판 리틀 포레스트가 만들어진다는 기사를 보고 난 직후였다. 한국판에 대해 부풀어 오르는 기대감을 억누르기 위해 본 것이었는데 일본판에서 보여주는 일본 특유의 감성에 반해버렸다. 정말 리틀 포레스트라는 이름에 딱 맞아떨어지는 그런 영화였다. 차분하고 느슨하면서도 풍부한. 자연과 그 속에 녹아든 사람을 잘 담아냈다.

반면에 한국판 리틀 포레스트는 약간은 긴장감 있으면서도, 템포가 빠르고, 자연보다는 인물 중심으로 진행된다. 아무래도 그 긴 사계를 2시간 내로 함축하려다 보니 그 특유의 느리고 여유로운 템포와 자연과 사람 간의 유대관계는 많이 죽어버린 것 같다. 그 때문에 다소 실망했던 기억이 난다.

일본판과 한국판. 비교하지 않으려야 하지 않을 수가 없다. 두 작품은 많은 부분에서 겹쳐있기도 하고, 또 많은 것들이 다르기도 하다. 일단 소재가 자연, 요리, 시골에서의 삶, 힐링, 엄마와 딸 등으로 겹친다. 그리고 메뉴, 인물 구성도 유사하다. 더 나아가 영상과 음악도 유사하다. 자세히 보면 카메라 구도와 움직임이 그리고 통통거리면서도 산뜻한 BGM이 닮아있음 또한 느낄 수 있다.


## 한국의 작은 숲


이런 유사성에도 불구하고 두 작품은 큰 차이가 있기 때문에 다른 방식으로 보아야 했다. 일단 영화에서 '리틀 포레스트'가 지니는 의미부터. 일본판에서는 여기에 대해 크게 다루지 않았다. 그래서 그 의미를 단순히 자연 속 일부를 뜻하는 것이라고만 이해했다.


한국판은 이 의미에 대해 상당히 고민하고 중요시했던 것 같다. 이 단어에 대한 해석을 마지막에 언급함으로써 이전에 보여준 모든 장면이 이 리틀 포레스트에 모이게 했고 이에 맞춰 이전 장면들의 의미가 다시 매겨지게끔 했다.


한국의 이 작은 숲은 다시 돌아오기 위한 공간으로 설정되어있다. 나를 이루고 있는 것, 나의 공간, 나의 자연. 그 안에는 가족도 있고, 친구도 있고, 나의 고향도 있고, 맛있는 음식도 있다. 나의 전체를 이루고 있는 이 자연의 공간은 나를 자라게 하고 살찌게 한다.


## 영화의 시간


이 영화는 사계를 제대로 보여주기엔 약간은 촉박한 느낌이 없지 않다. 일본 판의 경우 넉넉한 러닝타임으로 각각의 계절을 진득하게 담아내어 풍부한 느낌을 받을 수 있는데 한국판은 계절을 음미하기도 전에 후다닥 넘어가 버린다. 그래서 상대적으로 빈 것 같단 기분이 든다.


이번엔 관점을 바꿔 영화의 시간을 계절이 아닌 혜원에게 맞춰봤다. 혜원은 고향으로 돌아와 봄, 여름, 가을, 겨울을 맞이한다. 그 안에는 수많은 고민과, 엄마와의 지난 추억과, 서울에서의 삶과, 지금 이곳에서 다시 한번 쌓아가고 있는 경험으로 가득 차 있다. 계절은 그저 혜원의 시간이 자연에 스며들어 흘러가고 있음을 보여주는 역할로만 본다면 영화 내의 시간은 아주 풍부하게 채워진다.

## 떠난다는 행위

혜원은 고향을 떠나 서울로 향한다. 서울을 떠나 고향으로 돌아온다. 그리고 또 한 번의 반복. 고향과 서울을 서로 배반하듯 떠나고 돌아온다. 그렇게 다시 돌아올 거면 왜 떠나는가. 나에겐 이에 대한 진부한 표현의 답변이 준비되어있다. 익숙함에서 벗어나 새로운 자신의 가능성을 찾기 위해 잠시 떠난다. 그러나 영화는 나와는 다르게 답한다. 잘 돌아오기 위해 떠난다. 비슷한 말인 것 같지만 전혀 다른 느낌이다.

혜원의 그 반복된 떠남 중 앞은 도피를 위한 것이고 뒤의 것은 '아주심기'를 위한 것이었다. 아주심기. 제대로 심기기 위해선 잠시 부유하는 어린 시절을 겪는다. 그리고 내가 돌아갈 곳, 앞으로 뿌리내려 견고한 삶을 살아갈 곳에서 떠남의 종지부를 찍는다.

나의 가능성을 위해 떠난다. 나는 그동안 지금의 이 익숙한 삶을 낡고 지겨운 것 취급하며 종종 새로운 것을 향해 떠났다. 어쩌면 난 진짜 내 삶에서 도망 다니고만 있었던 게 아닐까. 지금의 나를 부정하며 모래성만 쌓고 있었던 게 아닐까. 잘 돌아오기 위한 떠남은 이 익숙한 삶에 대한 존경의 마음이 담겨있다. 자기 부정이 아닌 자기 긍정을 위한 떠남. 그것은 지금의 나를 더 사랑하기 위해, 지금을 더 튼튼히 다지기 위해 잠시 떠났다가 지금으로 돌아오는 것이다.


## 요리에 담긴 심리


개인적으로 요리하는 것을 아주 싫어한다. 그래서 요리를 하는 사람을 보면 종종 감탄한다. 자신을 위해 요리하는 사람은 자신을 많이 사랑하는구나 하고, 타인을 위해 요리하는 사람은 참 희생정신이 강한 사람이구나 하고 생각해버린다. 어떤 경우이건 내게 요리하는 이는 사랑과 노력, 희생으로 똘똘 뭉쳐진 사람이다.


내게 있어 요리는 시작이 부담스러운 존재이기 때문에 뼛속부터 기피하게 된다. 여기에 내가 싫어하는 만큼 남들도 싫어할 것이라는 마음이 더해진다. 그래서 누군가가 해주는 음식은 늘 고맙고 또 고맙다.

# 나의 작은 시인에게

사라 코랑젤로 감독의 나의 작은 시인에게(2018)

## 잔잔하게, 신선함

시와 재능에 대한 열망을 또 다른 시각에서 풀어낸 영화. 진부할 수 있는 소재를 단조로운 형태로 풀어냈음에도 굉장히 신선하다. 그래서 이 영화가 여느 강렬한 영화보다 더 깊은 인상을 남길 수 있었다.

'신선함'. 최근 <클로즈업>이란 연극을 봤다. 처음엔 꾀나 충격적이었다. 너무 별거 없어서. 그러나 연이은 기괴함과 갈수록 치밀해지는 극 중 인물들의 심리, 그 와중에도 잘 잡혀있는 극의 맥락. 이 모든 것들이 이전 시간의 잔상을 계속해서 깨부수고 극적인 효과를 꾀했다.

이 영화도 마찬가지다. 잔잔하고 진부한 시작이었으나 조금씩 가미되는 인물에 대한 정보가 끊임없이 새로운 자극을 준다. 시와 클래식 음악이 주는 고고한 이미지를 부수고 리사라는 개인의 민낯만 야트막하게 남긴다. 그리고 이는 앞으로 지미의 민낯이 될 것이다. 영화는 그러한 충격을 자극적이지 않게 담아낸다. 바로 그 점이 더 큰 충격을 선사한다. 조금씩 드러나는 인물의 이면과 영화의 예상치 못한 담담한 표현법. 굉장히 신선했다.

## 그녀에게 시와 작은 시인

처음의 리사는 평범한 사람이었다. 우린 그녀로부터 가끔 지루해하는 모습, 다정한 모습, 꿈꾸는 모습, 수줍어하는 모습, 상처받은 모습을 볼 수 있다. 지극히 평범한 이들에게서 쉽게 발견해낼 수 있는 모습이다. 영상마저도 너무나 평범하게 그녀를 담아낸다.

그런 평범하기만 한 그녀의 일상에 지미의 시가 등장한다. 그 옛날 재능으로 반짝이던 자신과 지금의 자신 사이의 괴리가 자꾸만 눈앞의 희망에 집착게 한다. 지미에게 자신의 유년을 투영하고 '잃지 말라'고, '난 잃었지만, 너만은 그것을 지켜내라'고 재촉한다. 그리고 이 놀랍도록 무서운 집착은 어리숙하게, 조용하게, 과하지 않게 드러나 그녀의 이면을 세상에 노출한다.

이제 그녀를 담은 영상은 기괴함을 띠기 시작한다. 어딘가 위협적이면서도 불편하여 우릴 긴장 상태에 빠뜨린다. 짧은 시간 동안 너무나 달라진 리사. 과연 그녀는 평범한 사람인가, 기괴한 사람인가. 그녀의 내면에 자리 잡고 있는 진짜 모습은 무엇인가. 이후부턴 그녀를 나타내는 서로 다른 모습들이 뚜렷한 경계 없이 노출된다. 그렇게 그녀는 평범함과 기괴함 사이에서 모호한 사람이 된다.

리사라는 캐릭터가 이렇게 모호한 상태에 빠지게 된 원인, '시' 그리고 '지미'. 이들은 그녀의 잃어버린 것에 대한 상실감이고 현재 꿈꾸는 자신의 이상향, 열망하는 삶의 표상이다. 이들을 통해 대변되는 그녀의 모습은 이상한, 미친 여자가 아니다. 그저 외로운 사람이다. 그저 시로서 존중받길 원하는 사람일 뿐이다.

## 작은 시인에게 시와 유치원 선생님

지미에게 시는 대화의 수단이다. 깊은 내면의 어떤 것에 관한 대화. 아이에게 그것은 재능이라는 특별한 무엇이기보다는 자연스러운 웅얼거림에 가깝다.

그런 측면에서 리사를 바라보는 지미의 시선은 집착에 대한 거부감이 아닌 진정으로, 허울 없이 소통할 수 있는 어머니의 모습에 가깝다. 비록 자신을 데리고 먼 곳으로 떠났을 때 그녀를 신고하긴 했지만 이는 그녀를 악인으로 본 것이기보다 그런 상황에 대한 배움을 어린아이답게, 순수하게 행동으로

옮긴 것으로 보인다.

그래서 "시가 떠올랐어요."라는 이 한마디를 외치는 작은 시인의 마지막 모습이 외롭게 남아 관객인 나에게 길고도 강한 여운을 남긴다. 홀로 갇힌 공간, 아무도 들어주지 않는 외침은 아이를 더욱더 쓸쓸하게 만든다. 이제 자신을 받아주고 인정해주던 이는 사라졌다. 남들과는 다른 방법으로 소통하는 아이기에 근원적인 외로움은 앞으로도 쭉 아이를 따라다닐 것이다.

## 이 영화에게 시

열망하는 것에 관하여, 그리고 그것을 함께 나눌 이에 대하여. 영화를 통해 전달된 시에는 그런 말이 뒤따르는 듯했다. 이는 재능, 그 자체에 대한 것이 아니다. 진짜 소통, 그 기회의 갈망에 대한 것이다.

난 이 영화에서 시를 통해 내면에 담아둔 진심을 꺼내고자 하는 열망을 보았다. 시를 통해 자신을 정의하고, 드러내고, 인정받고자 하는 열망. 그리고 시를 잃은 이에게서 진정한 소통의 부재에서 오는 외로움을 보았다. 스쳐 지나갈 재능에 대한 아쉬움도, 상실감도 이 외로움보다는 중요치 않았다. 그저 영화에서의 시는 자신을 사람들 속에 스며들게 만드는 장치와도 같은 것이었다.

# 고스트 스토리

데이빗 로워리 감독의 고스트 스토리(2017)

## 고스트

오랜만이다. 어릴 적 익숙하게 그려지던 고스트를 어른이 되고서는 처음 마주했다. 영화는 이러한 옛 형태를 지닌 고스트를 너무나 단순하면서도 어설프게 그리고 비현실적으로 표현한다. 그리고 그 단순함에 지난날의 향수와 몽환적이면서도 어딘가 기괴한 분위기를 가미하여 동화적인 느낌을 완성한다.

영화나 드라마 등의 매체에서 접하거나 어른에게서 들어온 고스트는 대체로 여러 가지 사연을 지녔다. 그리고 그 사연 때문에 이승을 쉽사리 떠나지 못한다. 그들은 산 자의 세계에 남아 그들의 곁을 맴돌며 억울함을 호소하기도 하고, 심술을 부리기도 한다. 이 영화의 고스트는 사랑하는 사람을 위해 다시 그녀가 있는 곳으로, 그들이 함께한 공간으로 돌아온다. 그 사람을 향한 그리움으로 세상에 남는다.

이들은 살아있는 사람과 닮아있다. 감정과 기억을 지녔다. 다만 우리와는 달리 어떤 감정에만 사로잡혀있다. 그 감정만을 간직한 채, 그렇게 전과는 조금 다르게 다시 한번 이승을 산다. 그러고 보면 고스트는 인간의 특정 감정에 따라 추상화된 존재라고도 할 수 있을 것 같다.

## 고스트의 스토리

이야기에는 화자가 있다. 우린 이 화자가 보여주는 것을 보고 그가 들려주는 것을 듣는다. 그가 만들어내는 생각, 흐름을 그 사람의 속도에 맞춰 따라간다. 그래서 화자가 보여주는 시점은 굉장히 중요하다. 누가 화자가 되느냐에 따라 다른 색을 지닌 다른 이야기가 탄생하기 때문에.

우린 산 자로서 살아있는 이의 시점으로 보는 것에 익숙해져 있다. 그러나 이곳의 이야기는 조금 다르다. 고스트의 시점에서 산 사람을 본다. 이 익숙지 않은 관찰자를 통해 익숙한 공간을 바라본다. 그러기에 우린 영화를 보면서 평소와는 다른 느낌을 받고 다른 반응을 하게 된다.

이 영화의 화자인 고스트는 사랑하는 이를 쉽게 떠나지 못해 그들의 보금자리에 남는다. 그러나 사랑하던 그녀는 결국 그곳을 떠난다. 그리고 기약 없는 기다림이 시작된다. 새로운 사람이 이들의 기억으로 가득 차 있던 공간을 점령하고 새로운 기억을 채운다. 그 모든 것을 산 자들의 곁에 남아서 바라본다. 그것만으로 이 영화의 이야기가 만들어진다.

## 이젠 다른 세상에서 외롭고 쓸쓸하게

산 사람은 본인의 일상에서 서서히 이별의 아픔을 잊어간다. 감정이 곁들여진 기억은 시간의 흐름에 따라 무뎌져 간다. 산 자는 이별한 이와의 추억이 담긴 공간을 아무렇게 방치하거나 뒤로 한다.

고스트의 기다림은 영원히 지속한다. 그 끝나지 않을 세월만큼 쓸쓸해지고 애잔해진다. 그래서 그리움과 서운함, 그 마음을 꾹꾹 눌러 담아 작게나마 표출한다. 그리고 다시 사랑하던 사람이 떠난 공간을 가만히 바라본다. 또 쓸쓸해지고 애잔해진다. 그리움의 공간에 자신을 스스로 가둔 자는 늘 외롭다.

그들은 남은 이에게 기대한다. 기억, 날 기억하게 할 기록. "사람들이 이것으로 날 기억해줄 것이다." 그러나 그 모든 것은 허무하게 무너져 내린 집처럼 부질없다. 때맞춰 음악이 흘러나온다. 그 때문일까. 광활한 평야에 홀로 내던져진 기분. 그 기분에 휩싸인 채로 영원한 시간에 갇혀 평생을 그리워한다.

## 맥박

움직이지 않는 피사체와 롱테이크의 조합은 한없이 멈춰있음으로써 우릴 숨 막히게 한다. 여기에 소리가 더해진다. 잡음. 움직임이 보이지 않는 영상, 그 속에서 들리는 이 나지막한 소리만이 움직이고 있다. 여기서 우린 정적인 움직임을 느낄 수 있다. 그리고 이 미세한 역동성에 집중함으로써 그들의 기억, 그것이 담긴 집이란 공간이 작게나마 숨을 내뱉고 있는 착각에 빠진다.

템포가 바뀐다. 시간은 걷잡을 수 없이 빠르게 흐른다. 그러다 또 한 번 템포가 바뀐다. 다시 시간이 느리게 흐른다. 그렇게 고스트의 이야기는 자꾸만 느리거나 멈춰있거나 빠르다. 이 시간은 그 템포에 맞춰 일관되게, 한 방향으로 반복해서 흐른다. 그리고 그 반복된 시간 속에서 다시 사랑하던 시간과 이별하던 시간을 마주한다. 기억은 끊임없이 뛰고 있는 맥박처럼 온몸을 훑고 다시 돌아온다. 반복되는 기억이 피를 굴리고 생명을 부여한다.

미세한 움직임 그리고 시공간의 무너짐과 연속성. 그 모든 것들이 집과 기억과 이야기에 움직임을 부여한다. 이로부터 집과, 기억과, 이야기는 맥박을, 생명을 얻게 된다.

# 시티즌포

로라 포이트라스 감독의 시티즌포(2015)

## 기대를 벗어난 다큐멘터리

가끔은 장르가 스포일러와 같은 역할을 한다. 영화는 장르에 따라 예상되는, 기대되는 형태와 분위기를 가진다. 관객은 이를 통해 사건의 전개 방향과 인물 간의 관계, 전반적인 분위기 등을 예측하고 내 취향에 맞춰 관람할 영화를 선택한다. 그런 방식으로 고른 영화가 내 예상을 벗어난다면 우리의 반응은 크게 두 가지로 나뉜다. 내가 원한 것이 아니라고 화를 내거나 이 예상치 못한 상황에 신선한 충격을 느끼거나.

다큐멘터리라는 장르도 마찬가지다. 특정 인물이 관찰의 대상이 되는 영화라면 그 사람의 시선, 생각, 행위가 담긴다. 이때 다큐멘터리는 이를 최대한 객관적이고 담백하게 보여준다. 그래서 지루하고 따분할 수 있다. 그게 다큐멘터리를 향한 일반적인 기대일 것이다.

그러나 시티즌포는 그런 기대와는 정반대에 위치한다. 왜 이 영화는 예측에서 한참이나 벗어난 것일까. 이는 이 영화가 기존의 인물 중심 다큐멘터리와는 달리 현실적이면서도 비현실적인 느낌을 동시에 잘 살렸기 때문이 아닐까 싶다. 그들이 관찰되는 시점, 배경은 우리에게 너무나 익숙한 현실이다. 여기에 우리가 평소 경험하기 힘든 상황이 어우러진다.

## 자극적이지만 영화라서

또한 기존의 다큐멘터리와는 달리 상당히 자극적이다. 매 순간 집중할 수밖에 없을 만큼 모든 장면에 몰입하게 된다. 이런 자극, 긴장감은 그만큼 재미를 선사하지만, 한편으로는 의심을 불러일으키기도 한다. 과연 이 영화는 자기들 입맛에 맞게 얼마나 많은 것이 각색되었을까. 자신의 주장을 보다 효과적이고 강력하게 전달하기 위해 MSG는 얼마나 쳤을까. 그러고 보니 이들은 관찰된 사실 중 주장을 약하게 만드는 것은 다 없애버리고 관객이 자신의 말에 동조하게끔 꽤 비장한 BGM을 깔았다. 이 영화는 정부의 잘못을 대중에게 고발하는 '다큐멘터리' 영화인데 이렇게 객관성을 잃어도 되는가.

자극적인 방식은 이를 마주하고 있는 사람의 눈과 귀를 그리고 생각을 마비시킨다. 그 때문에 우린 어떤 순간에도 현혹되지 않으려 발버둥 치는 노력을 해야 한다. 그 출발이 '의심'이다. 그러나 의심은 대상을 향한 부정적인 마음을 만든다. 영화를 영화로 봐야 하는데 하나부터 열까지 이게 맞나, 저게 맞나 뜯어보다 보면 영화적 가치는 어느새 바닥에 깔리게 된다.

영화는 영화다. 영화는 결국 감독이 추구하는바, 그가 믿는바, 목표하는 바에 맞춰 만들어진다. 다큐멘터리라고 다를 건 없다. 다큐멘터리는 사실을 객관적인 시선으로, 담백하게 담아내는 것이 일반적이다. 그러나 그런 방식만이 무조건 옳은 것은 아니다. 영화이기 때문에 감독의 입맛대로 만들어져도 된다. 장르가 주는 선입견은 떼고 한 편의 주장문으로, 이데올로기가 강하게 담긴 한 편의 영화로 보면 좋을 것 같다.

## 객관성

자극적으로 만들어지긴 했어도 영화 <스노든, 2016>과 비교했을 땐 시티즌포가 더 객관적으로 보인다. 영화 스노든의 경우 스노든이라는 인물을 중심으로 사건이 전개된다. 그 때문에 관객이 다른 시야를 가질 여유가 상대적으로 부족하다.

반면에 시티즌포는 중심이 몇 사람으로 분산되어있다. 모두 스노든에 의해 모였고 진실을 시민에게 전하겠단 뜻으로 움직인다는 점에서 공통되지만 모인 이들의 역할이 다르고 그들이 일을 진행하는 방식이 다르다. 그 때문일까. 영상 속 인물을 있는 그대로 받아들이기보다 그들의 행위 자체에 더 집중하게 된다. 그래서 객관적인 느낌을 수 있었다.

## 편안함과 통제

편안함을 추구하는 건 인간의 본능이다. 지금의 난 교육과 노력의 결과로 어릴 적보다는 많이 성실해졌다. 그러나 아직도 대부분이 여전히 게으름의 영역 안에 머물러있다. 여기에 한술 더 떠서 이젠 지능적으로 게으름을 추구하게 되었다.

내 폰과 노트북은 나에게 최적화되어있다. 스팸 연락이 오면 바로 차단 설정을 해둠으로써 스팸 연락 횟수를 최소화한다. 지도와 날씨 검색을 편하게 수행하기 위해 GPS는 항상 켜져 있다. 내가 그간 봐온 영화를 기록하기도, 찾아보기도 편했으면 하는 마음에 관련 앱을 이용하여 정보를 저장한다. 쇼핑은 어지간히 급하지 않으면 인터넷으로 주문한다. 매번 USB를 챙기고 다니기 귀찮기도 하고 언제 어디서든 편하게 작업하기 위해 클라우드 서비스를 이용한다.

위험은 이런 사소한 것에서부터 온다. 이 모든 것들이 나의 메타데이터인데 이를 조합하면 나의 콘텐츠가 나온다. 하루 일상 정도야 누군가에게 공개되는 것쯤 별문제 아니라고 생각할 수 있다. 그러나 누군가가 나의 일대기를 이해하고 이를 통해 나를 조종하려 든다면 그때는 더는 무시하기 어려워진다.

기업, 정치, 미디어는 대중을 사로잡기 위해 기존에 나와 있는 통계자료 등을 활용하여 자신들이 원하는 방향에 맞춰 집단을 형성하거나 사회 분위기를 조성한다. 그러나 이는 거시적 관점에서의 자극이기 때문에 그래도 대중에게 좁은 범위에서나마 선택할 수 있는 자유가 있다. 또한 그들의 예상을 빗나가는 반응이 나올 수도 있다. 그래서 심각성이 덜하다. 하지만 개인, 미시적 관점에서도 통제할 수 있다면 이는 실로 무서운 일이 아닐 수 없다.

## 여전히, 인간의 한계

가끔은 내가 사람이라서 싫을 때가 있다. 사람이라서 그 이상을 꿈꿀 수도 있지만 그럼에도 명확히 보이는 한계는 결국 이 모든 것들이 부질없는 짓이구나 하는 자괴감만 키운다. 평소 생각 좀 해봤다 하는 사람이면 내가 대단하구나 싶은 착각에 빠질 때가 종종 있을 것이다. 특히나 기존의 생각과는 다른 생각이 번뜩일 때면 더 그렇다. 그 순간엔 투지에 불타올라 뭐든 시도할 수 있을 것만 같다. 그러나 조금의 시간이 지나면 또다시 어제와 같은 나의 일상에 묻혀 그대로, 변함없이 지금을 살아간다. 많은 이들이 자극적인 이야길 좋아한다. 그리고 새로운 것에 목말라하기도 한다. 그러나 모순되게도 지금 내 삶을 유지하기 위해 어제의 나로부터 떠나진 못한다. 그리고 편한 것을 추구한다.

인간은 결국 익숙한 삶에서 벗어나질 못한다. 주변 환경이 바뀌지 않는 한 우리도 변하지 않는다. 당장은 잘못된 세상에 분노하더라도 그 열기는 어제와 같은 오늘이라면 내일까지 지속하기 어렵다. 우린 우리가 기대하는 것보다 훨씬 제한적인 삶에 만족하며, 아니 만족한다 자신을 속이며 살아가고 있다. 그것이 내가 이 영화를 보며 마주한 인간의 무수히 많은 한계 중 하나이다.

# 어떤 여인의 고백

아틱 라히미 감독의 어떤 여인의 고백(2012)

## 무엇이 여인의 입을 열었는가

여인의 잠재된 불만이 그녀의 말 곳곳에 묻어있다. 이는 여러 상황에 의해 밖으로 분출되지 못했다. 그러다 남편이 쓰러진다. 전쟁, 부족한 돈. 더 이상 의지할 곳은 없다. 자신을 지켜줄 이도 없다. 역설적이게도 이런 상황이 여인을 그녀 자신에게 집중케 했다. 자신을 돌아보게 했고 자신을 돌보게 했다. 그렇게 자신의 불만과 지난날의 고통을 얘기하게 했다.

## 그동안 말하지 못했던 이유

솔직하게 말한다.

이때의 말에는 함께 하는 대상이 필요하다. 솔직함에는 상대의 반응에 아랑곳하지 않을 용기 또는 그럴 필요도 없을 만큼 모든 것이 받아들여질 안전한 환경이 필요하다. 하지만 그녀에겐 모든 것이 없었다. 아버지, 종교, 사회 그리고 남편이란 존재. 이 모든 것은 여인이 솔직해지길 막는다.

## 여인에게 있어 남편의 생존이 지니는 의미

남편이 쓰러지기 전만 하더라도 그는 여인을 억압하는 이였다. 그러나 여인은 남편이 떠나는 걸 원치 않는다. 처음엔 자신을 지켜줄 이의 부재에 대한 두려움이, 그가 그녀의 인내의 돌이 되었을 땐 털어놓을 존재의 부재에 대한 두려움이 그를 붙잡게 한다. 그러나 이 두 가지 상황이 해결된다고 그녀가 쉽게 그를 놓을 수 있을까.

영화는 결국 남편을 떠나보내는 것으로 끝이 난다. 그러나 그의 죽음이 곧 문제해결이자 그녀가 원하는 것이라 말하긴 어렵다. 그보다 더 복잡한 의미가 여인의 남편에게 부여돼있기 때문에.

## 여인은 선지자가 되었나

여인의 솔직함이 그녀를 선지자로 만들었는가. 본능, 실제의 마음은 인간이라면 가질 수 있는 지극히 자연스러운 것이다. 그 때문에 그런 마음의 부정은 오히려 부자연스러울 수 있다. 어쩌면 자연 그대로, 솔직하게 드러내는 것이 신(난 그 존재가 자연이라고 본다.)과 더 가까운 것이 아닐까.

# 노인을 위한 나라는 없다

에단 코엔, 조엘 코엔 감독의 노인을 위한 나라는 없다(2007)

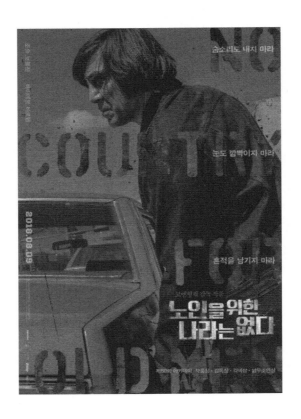

## 폭력성, 잔인함

사람만 나오는 영화 중 가장 무섭다고 각인이 된 영화이다. 처음엔 영화명, 포스터가 주는 느낌으로는 전혀 예상하지 못한 폭력성과 잔혹함에 적잖은 불쾌감을 느꼈었다. 그런 이전의 경험을 바탕으로 이번엔 꽤 여유를 가지고 봤으나 여전히 불쾌감이 남았다.

폭력적이고 잔인한 영화 중 불쾌감을 주지 않는, 오히려 쾌락을 주는 영화들이 있다. 쿠엔틴 타란티노 감독의 작품이나 소노 시온 감독의 작품은 인간의 생명에 큰 무게가 실려있지 않다. 죽이는 것은 그저 행위일 뿐이다. 화려한 색감과 동작, 단순한 감정선(표면적으로는 그래 보였다), 재밌는 연출 등이 영화 속 모든 것을 가볍게 바라보게끔 한다.

노인을 위한 나라는 없다의 경우 앞서 말한 감독의 작품과는 달리 여러모로 무게가 잡혀있다. 단순히 흥미를 자아내기 위한 폭력성과 잔인함이 아니다. 관객에게 특정한 반응을 끌어내기 위한 또는 깊은 생각을 끌어내기 위한 도구에 가깝다.

# 인간사냥

쫓고 쫓기는 추격전을 보면서 한 단어가 머릿속을 맴돌았다. "인간사냥". 이 단어가 떠오른 건 어쩌면 감독이 의도한 바였는지도 모른다. 르웰린의 사냥 씬으로 영화의 막이 올랐으니 사냥이란 단어가, 사냥하는 장면이 뇌리에 박혀 영화를 보는 내내 영향을 미쳤을 것이다.

코엔 형제의 이전 작품 중 <파고, 1996>라는 영화가 있다. 파고의 경우 블랙코미디로, 돈을 위해 아내를 납치함으로써 생기는 사건들을 코믹하게 풀어낸 영화이다. 이 작품도 보고 나면 묘한 불쾌감이 남는다.

두 영화에서 느낀 이 불쾌감의 근원은 인간의 가치를 비이상적인 형태로 떨어뜨린 연출에 있지 않을까 싶다. 파고의 돈 때문에 발생되는 연쇄적인 살인과 노인을 위한 나라는 없다의 인간사냥을 즐기는 살인마 안톤 쉬거의 모습을 통해 인간의 가치를 눈에 거슬리게 떨어뜨림으로써 영화를 쉬이 즐기지 못하게 한다.

## 포기를 모르는 자

영화 속에서 나름 요즘 사람인 르웰린과 안톤 쉬거. 이들의 유일한 공통점은 '포기를 모른다'는 점이다. 돈 가방을 절대 포기하지 않는 르웰린, 사냥감은 무조건 죽이고야 마는 안톤 쉬거. 물론 이들이 관심 가지는 대상도 문제가 있지만, 대상을 향한 그들의 포기하지 않는 행동이 그들을 더욱 비인간적으로 만든다.

## 노인은 누구인가

변화에 따라가지 못하는 자, 과거 자신의 젊었을 적과 요즘의 젊은이를 비교하며 젊은이를 비난하는 자. 영화와 연관 지어 생각할 수 있는 기존의 노인에 대한 인식이다. 이러한 기존의 인식은 노인들이 지금을 긍정적으로, 적어도 비난하지 않고 있는 그대로만 받아들여도 모두가 지금보단 더 나아지지 않을까 하는 생각으로 이어진다.

그런데 이 영화를 보고 나면 그런 생각은 들지 않는다. 이런 비인간적인 세상도 적응할 필요가 있다며 변화에 순응하길 강요받는다는 건 나조차도 꺼려지는 일이다. 그렇다면 감독이 노인을 아끼는 마음으로 관객의 생각을 바꿔버린 것인가.

처음엔 우리의 인식 속 노인과 영화가 보여주는 노인이 같다고 생각했다. 그러나 지금은 요즘 사람과 노인이 단순히 그 집단을 뜻하는 게 아니라 무엇을 상징하고 있단 생각이 든다. 설령 우리가 생각하는 그 젊은이, 노인이 맞다 해도 이들에 대한 영화 속 묘사, 태도, 상징성은 따져볼 필요가 있을 것 같다.

# 친절한 금자씨

박찬욱 감독의 친절한 금자씨(2005)

## 이 영화가 아름답고 우아한 이유

<친절한 금자씨>는 내가 본 영화 중 가장 아름다운 영화다. 다시 봐도 영화가 주는 울림에 먹먹해진다. 이는 단순히 보이는 것이 아름다워서도 아니고 주제가 따뜻하고 아름다워서도 아니다. 보다 복합적인 이유로 이 영화는 예술이 된다.

자세히 들여다보면 영화가 담고자 한 것, 보여주고자 한 방식이 아름답거나 고상하지만은 않음을 알 수 있다. 이 영화엔 다소 우스꽝스러운 장면들이 있다. 인물이 극의 진행과는 달리 갑작스레 관객을 향해 대사를 날리기도 한다. 나레이션마저도 아름답지 않고 어딘가 거슬린다(물론 그 덕에 더 매력적으로 들리지만). 기괴한 장면도 있고 보기 불편한 장면도 있다. 이렇듯 영화 속 모든 요소가 같은 분위기를 전달하지 않는다. 그러나 그럼에도 불구하고 우린 이곳에서 진중하고도 고급스러운 느낌을 받는다.

박찬욱 감독의 작품은 표현력이 돋보인다. 박찬욱만의 뛰어난 영상미도 그렇고 음향도 그렇고 플롯도 그렇고. 그의 연출은 그만의 색채를 띤다. 깊고 무겁고 어두운 그러면서도 고풍스러운 멋이 있는. 앞서 우아함과는 거리가 있는 장면들이 영화 곳곳에 배치돼있다고 했다. 그러나 그런 것들은 바이올린 선율, 고급스러움 색감, 조용하고 부드러우면서도 재빠른 움직임, 인물들의 대사 및 행위, 영화의 소재에 의해 묻힌다. 아니 오히려 극대화된다. 그 이상한 포인트와 고상함이 공존할 때 기묘한 기분에 빠진다. 이 이상한 자극이 영화에 대한 기억에 깊고도 인상적인 잔상을 남긴다.

## 대비의 공존

아름다움과 악랄함, 친절함과 잔혹함의 대비. 금자는 천사와 악마를 동시에 담고 있는 인물이다. 그녀의 손에서 탄생하는 모든 복수극은 친절로 포장된다. 이 은근하고 아름다운 잔혹함은 나를 어딘지 모를 상태에 빠뜨린다.

보색을 보면 불편하다. 그 어울리지 않는, 서로 양극단에 놓인 두 색을 한자리에서 마주하게 되면 우린 어김없이 불편함을 느낀다. 신경이 곤두선다. 마음속에선 그러면 안 되는데, 안 어울리는데, 이상한 데를 끊임없이 외치며 자꾸만 그곳에 시선을 둔다. 문제는 그런 부조화에 자꾸 노출되고 어느새 익숙해지면 오히려 그것이 극단적이고 기이한 매력의 자극을 선사한다는 것이다.

또한 그 극단에 놓인 색 사이에 연결고리를 찾기 위한 무의식적 행동이 이어진다. 그 사이에 존재하지 않을 스펙트럼을 찾기 위한 노력이 이들 사이에 깊이감을 만들어낸다. 자연스럽지 않은 것, 서로 어울리지 않는 것은 그런 효과를 불러일으킨다.

## 위선

위선적인 사람들이 눈에 띈다. 복역을 마친 금자를 위해 산타들은 그녀에게 노래로 따뜻한 위로를 전한다. 그러나 그들에 의해 아무렇지 않게 버려진 커피 담긴 종이컵으로 시선이 이어진 순간 더 이상 그들의 노래에서 진심을 기대하기 어려워진다. 살해된 아이의 복수 후 자신의 돈을 돌려받길 바라는 부모의 모습은 또 어떠한가. 조용히 금자에게로 전하는 계좌번호 적힌 종이는 죽은 아이에 대한 아픔이 그들에게 존재했는지를 순간적으로나마 의심케 한다. 그리고 금자씨. 금자의 친절은 따사롭다. 그러나 그녀의 친절 이면에 자리한 진심은 그녀가 이 영화의 가장 절대적인 위선자임을 극적으로 보여준다.

## 복수의 어떤 측면을 볼 것인가

복수의 정당성에 대해 논의할 영화는 아닌 듯하다. 복수의 시작보다 복수의 진행형에 초점이 맞춰진 영화니까. 복수가 어떤 식으로 진행이 되고 그 복수가 진행되는 과정에서 사람들은 어떻게 유기적으로 연결되어있는지, 그들 사이에선 어떤 식으로 영향을 주고받는지에 집중하고 보면 이 영화의 복수에서 더 많은 것을 얻어갈 수 있을 것 같다.

# 사일런스

마틴 스콜세지 감독의 사일런스(2016)

## 어떤 인간을 보았는가

이 영화를 보면서 가장 어려웠던 점은 어떤 인간을 보았는가에 대한 것이다. 로드리게스, 페레이라, 가루프, 기치지로. 그 외에도 많은 인물이 극 안에서 다양한 모습을 보여준다. 모든 것이 종교에 묶여 설명되고 있지만 그들의 양상이, 특히나 로드리게스 신부가 보여준 모든 것들이 하나의 의미로 쉬이 정리되지 않는다.

사일런스. 한참을 생각하고서야 그 정돈되지 못한 이들의 공통점이 사일런스가 아닐까 하는 생각에 이르렀다. 신을 향한 이들의 외침에도 여전하기만한 침묵을 저마다 어떻게 받아들이는가. 침묵 앞에 주저하게 되는 인간과 그럼에도 믿을 수밖에 없을 만큼 절망적인 삶을 사는 인간. 그 침묵 앞에서도 자신의 믿음을, 타인을 지키기 위해 강인해진 인간과 계속해서 흔들리는 마음 때문에, 나를 지키기 위해, 타인의 아픔을 보기 어려워서 약해진 인간. 이 침묵에 대한 인간의 다양한 모습이 작품 안에 고스란히 담겨있다.

## 인간관찰

인간을 설명하는 가장 손쉬운 방법은 성선설이냐 성악설이냐로 접근하는 것이 아닐까? 이런저런 토론 자리에 나가보면 꼭 한 번은 거치는 질문이다. 이는 우리가 교육, 예술과 같은 분야에서 자주 접했기 때문이기도 하거니와 자신의 이익 문제를 놓고 경제학적 관점에서 해석하려는, 감정의 관점에서 인간의 상태를 해석하려는 습관 때문일 것이다.

그런 측면에서 난 이 작품을 높이 평가하고 싶다. 이 작품은 인간을 단순히 선과 악이란 일차원적 관점에서 논하지 않는다. 신의 사일런스 앞에서 선과 악을 넘나드는 인간의 모습을 관찰하고 보여준다. 정말 고차원적인 접근이 아닌가!

인간은 완전한 선도, 완전한 악도 아니다. 인간은 그 근본이 선하지도, 악하지도 않다. 정확히는 이를 확실히 할 수 없다. 다만 지금 우리가 보고 있는 저 인간들을, 그리고 그들이 만들어낸 상황을 그저 관찰한다. 그 상황에서 드러나거나 또는 숨어있는 특징을 찾아낸다. 세밀한 변화의 순간을 발견한다. 우린 인간을 어떤 절대적인 진리로써 규정할 수 없다. 지금, 이 순간도 크고 작은 변화를 겪는 것이 인간이기에.

## 강한 것은 무엇이고 약한 것은 무엇인가

자기 생각을 굳건히 하는 것은 어렵다. 그래서 이를 해낸 사람을 가리켜 '강한 사람'이라 얘기한다. 내 한 몸 잘 건사하고 나아가 타인까지 도울 수 있다면 또는 어떤 상황을 맞닥뜨려도 평정심을 유지할 수 있다면 이 또한 강한 사람이라 할 수 있다. 평생을 숨기고픈 사실이나 감정을 밖으로 끄집어내 용서를 구하는 행동은 용기 없이는 하기 어려운 행동이다. 죽음은, 그리고 자신의 집단에서 배척당하는 것은 누구나 두렵기 마련이다. 그 때문에 자신을 희생하여 타인을 살리려는 행동은 강한 사람이 아니고서는 할 수 없다.

강인함에 대해 주저리주저리 나열하다 보면 이 영화에서 누군가 콕 집어 강한 사람이라고 말하기 어려워진다. 로드리게스 신부와 페레이라 신부는 결국 배교한다. 그런데도 그들 내면엔 여전히 자신의 종교를 갈구하는 태도가 엿보인다. 형식은 저버렸어도 꺼지지 않는 그들의 믿음은 강하다고 볼 수 있을 것이다. 기치지로는 (만약 그가 정말로 죄책감에 로드리게스 신부를 찾은 것이라면) 당사자에게 직접 용서를 구함으로써 죄를 뉘우치려는 용기를 보여준다.

사실은 그렇다. 코에 걸면 코걸이, 귀에 걸면 귀걸이. 결국 강함도 약함도 보기 나름인 것이다.

## 잘못

로드리게스 신부의 일본 선교행은(본 목적은 선교 활동이 아니었지만) 아직 험한 세상 겪어본 적 없는, 세상 물정 모르는 아이의 선택과 같아 보였다. 그곳의 현실은 알지도 못한 채 '난 할 수 있다' 정신이 낳은 실수. 또한 그는 일본인에게 그들의 신을 완전히 이해시킬 수 있다, 전할 수 있다, 믿게 만들수 있다고 착각했다. 참으로 오만한 생각이다.

종교의 진리와 보편성. 종교가 진리가 될 수 있는가, 아니면 단지 그들만의 문화에 지나지 않는가. 로드리게스는 자신의 종교, 자신이 믿는 신이 진리라 말한다. 모두에게 똑같은 진리. 그러나 페레이라 신부의 말처럼 일본인이 선교사들에 의해 받아들인 신은 신부가 전한 신과는 다른 의미를 지닌다. 가끔 하나의 단어를 놓고도 그 단어에 대한 각자의 미묘한 의미 차이 때문에 원활한 대화가 이루어지지 않을 때가 있다. 우리가 소통하기 위해 만든 규약인 단어도 사람마다 경험에 따른 차이가 생기는데 하물며 해당 국가에만 존재하는 어떤 종교가 타국에서 같은 형태로 받아들여질 수 있겠는가.


타국의 신부들이 들어와 선교 활동을 한 덕에 많은 천민의 목숨이 사라졌다. 극 속 대사처럼 신부 때문에 무고한 사람이 희생된다. 그들이 배교하지 않았기 때문에 이노우에가 천민을 죽인다. 원인 그리고 결과. 순서상으로는 맞아떨어지는 듯 보이지만 이 원인과 결과 사이에 하나(또는 그 이상이거나)의 원인 또는 결과가 숨어있다. 이노우에의 크리스천 탄압. 제대로 된 인과관계로 봤을 때 천민의 죽음은 로드리게스 신부가 배교를 거부했기 때문이 아니라 이노우에의 탄압에 의해 발생한 것이다.

# 테이크 쉘터

제프 니콜스 감독의 테이크 쉘터(2011)

# 고립된 사람

이 영화는 유난히 부담스럽다. 이런 느낌과는 대조적으로 스토리는 꽤 단순하다. 한 아이의 아버지가 미쳤고 자신만의 세계에 갇힌다. 그는 자신의 세계 속 환경으로부터 가족을 지키기 위해 외로운 길을 걷는다. 이 이야기는 그가 가족의 힘으로 자신의 세계에서 빠져나올 준비를 함으로써 끝이 난다. 영화 전반의 표현 역시 과하지 않고 깔끔하다. 다소 웅장한 분위기를 풍길 때도 있지만 일정 선을 넘진 않는다. 이처럼 표면적으로는 복잡한 것도, 불편한 것도, 과한 것도 없다. 그런데도 이 영화는 보는 내내 숨 막히게 한다.

고립감, 외로움은 실제보다 더 큰 압박감을 준다. 이는 내 힘으론 도저히 극복하지 못할 거대한 산을 만든다. 그리고 그 속에 빠진 이를 심리적으로 내리눌러버림으로써 숨 쉴 자유마저 억제한다. 커티스는 그 속, 고립된 산 아래 짓눌린 인간이다. 현실과 다른 세계를 살게 되었고 현실로부터 점점 멀어지는, 외로움에 빠진 인물이다. 문제는 이 영화 속 외로움, 고립감은 커티스에게 국한되지 않는다는 것이다. 부담감은 바로 이 지점에서 발생한다. 감독이 극 중 인물을 넘어서 관객마저 고립된 세계에 빠뜨린 것이다.

## 불안의 발생

이곳의 불안은 안과 밖, 어느 것에도 소홀히 하지 않았다. 내면에서 피어오르는 불안과 외부에 의해 형성되는 불안 모두 영상에 잘 녹아있다. 이 두 개의 불안은 상호 작용하여 더 큰 불안을 만들어간다. 안팎에서 작용하는 힘으로 불안은 가중되고 가속된다. 그렇게 계속해서 깊어지다 터진다. 그리고 다시 안정화 상태로 돌아가려 한다.

이제 이 불안의 굴레가 만들어진 이유, 그 시작점으로 시선을 돌려본다. <테이크 쉘터>에서의 불안은 가깝고 친근하며, 소중한 어떤 것에서부터 시작된다. 가족을 아끼고 사랑하는 마음. 커티스의 가족은 다른 이들의 가정보다 화목하다. 이러한 사실은 커티스의 절친한 친구인 듀워트의 입을 빌려 넌지시 던져진다. 커티스의 가족이 화목하고 이상적인 가정의 형태를 띠고 있다고. 커티스는 그런 화목한 가정이 깨지는 것을 두려워한다. 여기엔 그의 어린 시절도 한몫한 듯싶다. 그는 가족이란 이상을 만들고 유지하기 위해 안간힘을 쓴다. 불안은 그렇게 평범한 것에서 시작된다.

불안에 의한 두려움은 아직 발생하지 않은 미래를 떠올리는 순간에 오히려 더 큰 위력을 가진다. 지금 이 순간의 행복과 안정이 언젠가, 어느 순간에 다

다랐을 때 깨지고야 만다는 사실을 우리 모두 안다. 세상에 영원한 것은 없음을 우린 경험을 통해 알고 있다. 폭풍전야에 폭풍이 행사할, 그 가늠할 수 없는 힘의 크기는 쉽게 부풀려지기 마련이다. 막상 두려움이 현실이 됐을 땐 어찌어찌 살아지지만 맞닥뜨리기 전은 그 이상의 두려움에 빠져 한 치 앞도 보기 어려운 상태가 된다.

이제 언제, 어느 곳에서 터지는가의 문제만 남았다. 커티스의 불안은 결국 터지고야 만다. 문제는 불안이 현실이 되기도 전에, 그의 내면에서 현실보다 지독한 세계가 만들어졌다는 것이다. 그의 과도한 상상과는 대조적으로 현실은 고요하고 평화롭다. 어쩌면 진짜 현실은 이렇게 담담하게 흘려보낼 수 있는, 그런 별 것 아닐 수 있다. 그러나 두려움에 생각이 모인 순간, 그것에 어떤 기대가 곁들여진 순간, 현실을 받아들이지 못하고 부인하게 되는 순간 문제는 더 크고 복잡해지며, 진지해지고 심각해진다.

## 가족이라면

가족의 순기능을 보여준 작품은 많다. 고레에다 히로카즈 감독의 작품들, <토니 에드만, 2016>, 최근에 본 <벤 이즈 백, 2018>과 <원더, 2017>. 이들 영화 속 개인은 자신의 아픔, 힘든 상황을 가족의 힘으로 이겨낸다. 이때의 힘, 가족의 아픔을 함께할 힘은 어디서 생겨나는가?

엔딩에 대해선 아마 많은 논란이 있을 듯하다. '사실은 커티스에겐 미래를 예측하는 능력이 있었고 그래서 그가 조현병인지 의심이 드는 장면을 영화 내에 조금씩 가미했다.'라고 볼 수 있을 것이다. 그러나 난 이와는 다르게 생각한다. 가족의 힘으로 마무리하려 했으니 끝까지 가족으로 해석해보고자 한다.

이해, 수용력, 동질감. 그 외의 수많은 원인에서 기인한 사랑은 가족, 내가 아끼는 사람들 밖에선 쉽게 생성되지 않는 상태와 행동을 만들어낸다. 난 그중에서도 '동화', 가족이 보여줄 수 있는 가장 큰 위력 중 하나로 동화를 꼽는다. 사랑하기 때문에 나도 모르게 물들어버리고 마는 것. 또는 너무나 익숙해진 이들이기에 자연스레 물들고 마는 것. 그래서 이 영화의 끝에서 그가 빠져있는, 그 현실과는 다른 세계마저 동화해버린 이들 가족의 사랑과 불안이란 부정적인 감정마저 동화해버린 그들의 끈끈한 유대관계를 보았다.

그 때문일까. 역설적이게도 이 엔딩을 통해 이들이 진짜 가족임을 느낄 수 있었다. 잠시나마 불안정해진 가족의 관계와, 막연해진 미래에 대한 걱정, 탐탁지 않아 진 주변의 시선. 이제 이 모든 불행을 온 가족이 함께 겪는다. 불행, 불안의 공유로 그들이 하나임이 증명된다.

# 항거: 유관순 이야기

조민호 감독의 항거: 유관순 이야기(2019)

## 소재로 구축된

영화에서 마주하기엔 유관순이라는 소재는 상당히 위험하다. 이 영화를 보면서 자꾸만 이런 생각이 들었다.

'소재의 선택이 어쩌면 연출보다 더 중요할 수도 있겠구나.'

영화의 첫인상을 결정짓는 데엔 여러 요인이 있다. 그 가운데 소재는 큰 영향력을 행사하는 편이다. 이 소재에서 관객의 관람 여부가 갈라진다. 영화에서 진짜로 중요하다고 꼽힐 수 있는 이데올로기, 연출, 배우의 연기 등에 대한 평가는 우선 관객이 영화 관람을 선택하고 난 다음에야 이뤄질 수 있다.

물론 소재가 첫인상에서뿐만 아니라 영화 전반에서도 기여하는 바가 크다. 소재 그리고 그에 대한 이데올리기를 기반으로 쌓아 올린 영화가 많으니까. 그 때문에 영화를 제작하는 과정에서 소재가 중심축이라 해도 과언이 아닐 것이다. 관객에게 있어서도 마찬가지다. 소재를 가운데 두고 영화를 이해하거나 평가하는 이(나의 경우 이 방식이 편하고 빠르게 이해하기 쉬워서 종종 활용하고 있다)에겐 영화 감상의 판도를 바꿀 만큼 큰 위력을 가진 요소이다.

## 유관순이란 소재의 위험성

대한민국 사람이라면 유관순을 모르는 이는 없을 것이다. 그녀의 자세한 일생은 모르더라도 '3.1 운동'이라는 키워드는 쉽게 떠오른다. 뒤이어 그녀가 머물렀던 시대, 일제 강점기라는 고난과 역경이 가득했던 시기가 더해지면서 그녀의 강인하고 신념에 찬, 당당한 이미지가 머릿속에서 완성된다. 이러한 요소들에 의해 그녀는 지금까지 기억될 만큼 대한민국에서 굉장히 역사적인, 그런 중요한 인물이 되었다.

소재는 우리의 편견을 거친다. 그 결과 괜찮으면 관람하기를, 그렇지 않으면 관람 거부를 택한다. 나에게 유관순이란 소재는 관람 거부에 해당했다. 앞서 유관순이란 인물의 역사적 가치를 인정했음에도 영화에서 만나길 거부한 이유는 아마 쉽게 예상할 수 있을 것이다. 진부함. 우리가 잘 아는 것(이 또한 우리의 착각이겠지만), 좋든 나쁘든 이미지가 확고하게 뿌리박힌 것, 그런 상징적인 어떤 것이 주로 반영된 영화는 보기도 전에 이미 다 본 듯한 기분이 들게 한다. 유관순이란 인물에 대해선 우리가 어린 시절부터 유사한 내

용, 특히나 대한민국에서 역사적 가치가 실릴 수 있는 몇 가지 특징 위주로 배워왔다. 그래서 호기심, 관심이 잘 일어나지 않는다. 또한 그런 역사적 인물이나 사건을 소재로 한 다른 기존의 영화가 보여주는바, 전하고자 하는 메시지가 대체로 유사했다는 점, 보여주는 방식이 굉장히 일차원적이었단 점도 영화 관람의 선택에 있어 큰 영향을 행사한다.

이 영화의 소재는 굉장히 강하다. 유관순에 대해 우리가 가지는 관점은 상당히 고정적이다. 그 때문에 유관순이란 소재는 잘못하면 배보다 배꼽이 더 큰 격이 될 수 있다. 설령 감독이 새로운 방식으로 인물을 풀어냈다 하더라도, 관객이 선입견을 버리지 않는 한 감독이 제시한 새로움을 발견하기 어렵거나 발견했다 하더라도 오히려 관점의 차이로 불편함을 경험할 수 있다. 즉, 소재가 영화를 집어삼킬 수 있는 것이다.

## 유관순을 관찰한 새로운 관점

다행히 난 이 선입견을 뒤로하고 이 영화를 보게 됐다. 사실 타인의 추천이 없었다면 지금 이렇게 글을 쓸 수 없었을 것이다. 그리고 이 영화의 장점과 한국 영화의 가능성도 발견할 수 없었을 것이다. 유관순과 영화를 결합하고 보면 영웅물이 바로 떠오른다. 역사적 가치로 보나, 인물의 강직함으로 보나, 인물이 처했던 상황으로 보나 영웅물이 되기 알맞은 조건을 두루 갖추고 있기 때문이다. 정말 고맙게도 이 영화는 유관순을 완전한 영웅으로 만들지 않았다. 물론 어느 정도 영웅적 면모와 인물이 지닌 상징성이 엿보이긴 하지만 영웅 특유의 완전무결함, 비범함은 보이지 않았다.

영화 속 유관순은 굉장히 인간적이다. 흔들리고 흔들린 끝에 단단해진 사람, 자신의 신념과 행동에 대한 의심 끝에 확고해진 사람이다. 중요한 건 이때의 흔들림, 의심이 그리 거창한 것이 아니란 점이다. 지금 이 평범한 현실을 살아가는 우리도 쉽게 느낄 수 있는 것이다. 그래서 이 점이 특히나 그녀가 영웅이기보다 인간에 가까운 사람이게 했다.

이에 덧붙여 생각해볼 요인이 그녀가 자신만의 힘으로 만들어진 게 아니었단 점. 좁은 감옥 안, 많은 여인이 들어차 있다. 영화 속 유관순은 오히려 이곳에서 완성된다. 감옥 안은 3.1 운동처럼 거대한 일을 만들어내기는 힘든 곳이다. 그런 곳에서 유관순, 그녀뿐만 아니라 그곳에 함께 했던 모든 이가 운동 안에 존재해야 할 제일 중요한 가치를 보여준다. 인간애. 결국 그들이 이미 했던 운동 그리고 앞으로도 하고자 하는 그 운동의 기저에 사람을 사랑하는 마음이 담겨 있어야 함을 보여준다. 옥 안의 모두가 내 옆에 있는 사람에게 영향을 주고 또 영향을 받는다. 영웅은 혼자서 만들어지고, 혼자서 대단한 업적을 이룩한다. 그러나 진짜 인간은 내 옆의 사람에 의해 만들어지고, 내 옆의 사람으로부터 힘을 얻는다.

# 완벽한 타인

이재규 감독의 완벽한 타인(2018)

## 긴장의 표면

어린아이들, 월식이라는 나름 낭만적인 요소와 경쾌하면서도 가벼운 BGM. 영화는 그런 나지막하고 한편으론 발랄하기도 한 분위기에서 출발한다. 그리고는 서서히 파국을 향해 나아간다. 그들 사이의 감정의 골은 계속해서 깊어져만 한다. 내려올 생각을 않는 그들의 갈등. 그나마 초반엔 강약 중간 약이라도 있으나 이후엔 강강강만 내리꽂는다.

모든 이가 집이라는 공간과 저녁 식사 시간이라는 제한된 틀 안에 갇히게 된다. 이에 더해 영상은 이러한 물리적으로 제한된 범위를 더욱 축소해버린다. 공간도, 시간도 숨 막힐 정도로 협소하다. 이런 배경 안에서 시간은 아주 느리게 흐른다. 모든 감각이 열린 것 같은 기분마저 든다. 이 느리게 흐르는 모든 시간 안에서, 무수히 많은 감각을 느끼다 보면 엄청난 낯설음에 빠지게 된다. 그런 상태는 우릴 자꾸만 당황케 한다. 그 여파로 나를 지키기 위한 최소한의 울타리, 이성마저도 옅어진다. 판단력이 흐려진, 그런 불안정한 상태, 긴장이 최고조로 치솟은 상태가 지속된다.

극은 끊임없이 이어진다. 그리고 시간은 계속해서 흘러간다. 시간이 지체될수록 피하고자 하는 욕구는 더 커진다. 하지만 그들은 이 상황에서 벗어날 수 없다. 이 모든 상황이 불안을 더욱 고조시킨다. 상상 속 상황은 그렇게 더욱 악화하기만 한다.

## 긴장의 뼈대

누군가의 휴대폰 알람이 울린다. 이런 갑작스러운 소리, 특히나 어떤 상황에 집중한 상태에서 들리는 예상 밖의 소리는 공포 또는 스릴러 영화와 잘 어울리는 요소이다. 이 영화는 여기서 한 발 더 나간다. 이런 갑작스레 울리는 알람보다 우릴 더 긴장케 하는 것. 그것은 그에 곁들여진 메시지이다.

분명 언제고 사건이 터질 것이다. 우린 오랜 시간을 핸드폰과 동고동락하며 지냈다. 해서 핸드폰을 공개한다는 것이 불러올 여파와 그 위험성에 대해 누구보다 잘 이해하고 공감하게 된다. 이제 언제 울릴지 모를 알람, 그 언제 터질지 모를 사건을 기다린다. 이 과정에서 영화가 제시하는 긴장보다 더 큰 긴장을 느끼게 된다. 대놓고 전달하는 긴장보다 더 짜릿한 것은 그 속에 숨겨진, 아직 드러나지 않은 문제점이다. 아직 맞닥뜨리지 않은 일은 실제보다 더 심각하고 더 자극적이고 더 두려운 법이다.

같은 공간 그리고 가까운 사이, 그러나 서로가 너무나 개별적인 존재. 문제가 생겨도 나를 도와줄 사람은 아무도 없다. 각자가 자신을 지키기 위해 고군분투할 뿐이다. 그 누구도 내 편이 될 수 없는, 그런 고립된 상황. 그 속에서 또 다른 형태의 생존을 위한 싸움이 이어진다. 서로의 본심은 숨기고 가식을 유지하면서.

사실 생각해보면 그들이 떠안고 있는 비밀은 그리 크거나 심각해 보이지 않는다. 조금만 더 솔직해지면, 나의 허점과 약점을 조금이라도 드러낸다면 이 게임의 여파는 그리 크지 않았을 것이다. 그러나 어쩌면 별거 아니라고도 할 수 있는 것을 지키기 위해 아등바등한다. 상황은 점점 심각해져 가는데 가식을 조금도 놓지 못하고 완벽한 척 연기를 하는 이들의 모습에서 자극적인 위태로움을 느낀다.

## 타인의 시선, 완벽함과 불안의 사이

친구 관계 그리고 부부관계는 무탈하게 오래도록 유지되어야 할 것만 같은 관계이다. 이런 관계에 대한 압박을 느끼는 이유는 개인적인 이유, 예를 들어 개인의 심리적 안정, 사회 동물인 인간의 자연스러운 사고방식 때문일 수도 있고 사회적인 이유, 예를 들어 이를 당연시하는 주변의 시선 때문일 수도 있다. 그리고 나와 연관된 관계는 나의 건재함을 대외적으로 보여주기에 좋은 수단이기도 하다. 그것이 어떤 이유에서든 좋은, 건강한, 안정적인 관계를 유지하는 사람일수록 타인의 눈에 좋은 사람으로, '완벽'한 사람으로 비칠 수 있다.

우린 너보다는 나은 내가 되기 위해 수많은 노력을 한다. 남들이 나를 무시할 수 없게, 나 또한 나를 무시할 수 없게 자신을 견고히 쌓아 올리는, 완벽해지기 위한 작업을 한다. 문제는 이 과정에서 종종 거짓과 과장이 섞여 들어간다는 것이다. 가짜가 세상에 노출된 시점부터 우리에겐 불안이 얹어진다. 이 언제 깨질지 모를 사실 때문에 늘 긴장하게 된다. 거짓이 들통 나는 순간 난 우스워지고 별 볼 일 없는 사람이 되어버리기 때문이다.

## 달은 다시 밝았건만

결말엔 모든 긴장으로부터의 탈출이 있다. 배경적으로든 심리적으로든 이들은 압박으로부터 자유를 얻는다. 모든 것이 완전히 누그러진, 처음으로의 리셋이라는 결말. 그러나 이러한 결말이 관객의 심리, 충격은 리셋시키지 못했다.

사람에 따라 그 끝에 남게 되는 것에는 차이가 있을 것이다. 나의 경우 의외로 결말에 대해 찝찝함은 남지 않았다. 대신 긴장감이라는 감정의 잔여물이 남았다. 물론 엔딩의 순간 안도는 했다. 그러나 상상으로나마 경험한 이 긴장감, 그 감정 자체는 쉬이 사라지지 않고 있다.

# 킬링 디어

요르고스 란티모스 감독의 킬링 디어(2017)

## 킬링 디어와 기이함

익숙하지 않은 형태를 지니고 있을 때 기이하다는 말을 내뱉곤 한다. 이 영화가 보여주는 모든 상황과 장면은 현실이 아닌 영화 안에서만 머물러 있음을 뚜렷이 느끼게 한다. 즉, 일상적이지 않은 형태를 지니고 있다.

## 엇나간 예측

관객에게 아무런 정보도 제공하지 않은 상태에서 스티븐과 마틴이 만난다. 두 사람 사이엔 은밀한, 비밀스러운 무언가가 감춰져 있는 듯하다. 여기서 스티븐에게 마틴은 약점이란 인상도 받을 수 있다. 스티븐은 시간이 갈수록 마틴을 멀리한다. 이러한 상황과 느낌은 그들 사이에 '사랑'이 존재했음을 말하는 듯하다. 그리고 이 전제 위에서 사랑으로부터 외면받은 이가 어떻게 '광기'에 젖어 들고 이를 표출하는지를 보게 될 것이라 기대하게 한다.

영화를 끝까지 본 사람이라면 이는 잘못된 추측이란 것을 알 것이다. 마틴은 그저 '눈에는 눈, 이에는 이'를 실천한 것뿐. 문제는 나의 이 엇나간 예측이 영화를 보는 내내 작용했다는 것이다. 이들 사이에 있어야 할 사랑의 부재가, 특히나 이를 자꾸만 명확히 하려는 스티븐의 태도가 화를 자초할 것이라는 불안감을 형성한다. 또한 이 비밀스러운 상황이 언젠가 깨질 것이란 예상도 불안을 자극하는 데 일조한다.

다시 말하지만 난 상황을 잘못 예측했다. 그 때문에 사실을 만난 순간 앞서 말한 모든 불안이 깨져버렸는데 그때 이런 상황으로부터 기이함을 느꼈다 (물론 다른 요인이 함께 작용했기에 가능한 일이었겠지만).

'이렇게 전개될 수밖에 없다.'
'왜냐하면 기존의 많은 다른 작품이 대체로 그렇게 진행되었기 때문이다.'

이러한 과거의 학습으로부터 형성된 믿음이 예상과 편견으로부터 나만의 익숙하고 당연한 현실 세계를 만든다. 그리고 이로부터 동떨어진 세계를 마주하게 되면 일시적이든 지속적이든 간에 불편함을 느끼게 한다. '기괴하다'고 말하게 한다.

## 말이 되지 않는 일이 벌어졌다

첫째, 다리를 못 쓰게 된다.

둘째, 거식증에 걸린다.

셋째, 눈이 충혈된다.

마지막, 죽는다.

의학적으로도 밝힐 수 없는 약물의 힘인지, 최면술인지, 어떤 미지의 힘에 의한 것인지는 몰라도 마틴이 보여준 이 놀라운 능력은 내가 영화를 보고 있음을 깨닫게 한다. 근원을 알 수 없는, 이 말도 되지 않는 능력은 이 모든 상황이 영화 안에 갇히게 한다. 이는 내게는 이런 일이 일어나지 않을 거란 안도감을 준다. 그렇게 상황(인물 간의 갈등과 같은)으로부터 발생할 수 있는 두려움도, 공포도 영화 안에서만 머물게 된다.

그러나 이 안도감이 오히려 이질감을 증폭시킨다. 영화의 분위기는 상당히 불안정하다. 감정이라곤 느껴지지 않는 카메라의 구도도, 온 신경을 찢거나 심장을 움켜쥐는 듯한 음향도, 상대를 염탐하는 이들의 눈빛도, 인간미라곤 조금도 느낄 수 없는 사람들도, 비인간적인 선택의 과정도. 모든 것이 불안정하고 불안전하다. 영화 속 안정적이지도 안전하지도 않은 상황이 불안감을 주다가도 나와는 무관한 일이라는 안도감을 일깨운다. 그러다 안도감을 무너뜨리고 또다시 다독이길 반복한다. 이러한 상황의 연속이 감정의 고저를 짧은 주기로 넘나들고, 더 큰 불안을 만들고, 이질감을 주고, 기이함을 만든다.


## 인간의 부재


기이하면서도 한편으론 기계적인 분위기에는 연출의 힘만 작용한 것은 아니다. 익숙한, 현실적인 인간은 다양한 감정을 가지고 있다. 우린 기쁨, 슬픔, 분노와 같은 감정뿐만 아니라 이들의 결합으로부터 파생된 복합적인 감정을 무수히 많이 가지고 있다. 그러나 이 영화 속 인물에게선 인간이라면 대부분 지니고 있는 이런 다채로운 형태의 감정이 느껴지지 않는다. 대신 아주 단순한 형태의 감정만이 정돈된 형태로 드러난다. 배우들이 보여주는 이 절제된 감정, 단순화된 감정이 또 다른 형태의 비인간성을 만들어내고 우리가 낯선 세계를 만나게 한다.

## 철저히 단절된 세상

감정의 교류라곤 전혀 볼 수가 없다. 그들은 각자 자신의 삶, 주어진 역할에만 맞춰 움직일 뿐이다. 이들의 삶은 일부를 도려내도 문제없이 잘 돌아갈 것이다. 자신 앞에 놓인 삶만 정확하게 살고 있기 때문에.

이들의 삶에선 연속성을 찾아보기 어렵다. 이때의 연속성이란 개인에 국한된 시간을 뜻하는 게 아니다. 환경, 사회, 사람들 틈에 자연스레 녹아들어 이곳으로도 저곳으로도 이어질 수 있는 관계의 연속성을 말한다. 아무리 사람을 싫어하는 사람이라도 이 사회 안에서 서로 부대끼며 살아가고 있다. 알게 모르게 영향을 주고받으며 연속적인 삶을 살고 있다. 그러나 이 영화는 그런 게 느껴지지 않는다. 이런 연속성의 부재는 부자연스러움을 낳고 불편함(정확히는 불안감)을 안겨주고 기괴하단 인상을 남긴다.

# 분노

이상일 감독의 분노(2016)

## 세 개의 사건과 한 편의 영화

이 하나의 영화 속에는 세 가지의 이야기가 공존하고 있다. 각각의 이야기는 서로가 서로에게 종속되어 있다. 그 얽힘으로 세 이야기는 하나의 영화가 된다.

세 사건은 여러 측면에서 유사성을 가진다. 모든 이야기, 그 중심에 부부 살인사건이라는 하나의 중심 사건이 있다. 이를 축으로 하여 모든 이야기가 모이기도 하고 흩어지기도 하는데 이런 움직임이 영화를 보다 풍부하게, 다채롭게, 생동감 넘치게 할 뿐만 아니라 서로가 더욱 '닮게' 한다. 이 세 이야기 사이에 간헐적으로 발생하는 여백은 그 사이에서 유사성을 찾으려는 우리의 의식적 또는 무의식적 노력과 더불어 강한 연결고리를 형성한다. 또한 부부 살인사건이라는 소재가 관객으로 하여금 이들 사이에 공통점이 있을 수밖에 없다는 의심이 들게 함으로써 그 이음새를 더욱 견고하게 만든다.

세 편의 이야기 속 인물은 서로 닮아있다. 굳게 닫힌 마음을 여는 사람이 있다. 그리고 그런 그를 믿게 되는 사람, 내면은 그 누구보다 연약해서 쉽게 상처받을 수 있는 사람이 있다. 이들 모두 진실이 통하지 않는 세상에 살고 있으며 불신과 분노의 잠재력을 지니고 있다. 인물 간의 갈등구조 또한 유사하다. 사람과 사람 사이는 믿음으로 시작됐다가 불신으로 깨지고 상처받는다. 그리고 그 과정의 파생물로 분노를 남긴다.

연출의 측면에서는 각각의 이야기 속 장면을 연속으로 재생한다거나 누군가의 음성을 세 이야기 위에 동시적으로 위치하게 하여 서로를 연결 짓는다. 덕분에 서로 다른 시공간의 사건임에도 마치 동일한 사건을 각도만 달리해서 본 듯한 느낌이 든다. 또한 모든 인물이 서로 이어져 있다는 착각마저 들게 한다.

사람의 뇌는 단순하다면 단순하고 복잡하다면 굉장히 복잡하다. 전혀 다른 별개의 사건임에도 어떻게 연결하느냐에 따라, 어떻게 보여주느냐에 따라 동일한 사건처럼 느낄 수 있다. 반대로 동일한 사건임에도 완전히 독립된, 별개의 사건으로 느낄 수도 있다. 같은 소재, 같은 소리, 같은 공간 구도, 같은 색감 등의 연속적 재생은 다름을 같다 여기게 만든다. 이는 우리에게 너무나도 익숙하고 당연시되는 시간에 따른 사건 전개나 인과관계에 벗어난 방식이기 때문에 생소할 수 있다. 그러나 어찌 보면 기억의 방식과 닮았기에 더 자연스럽고 무의식적인 방식일 수도 있다.

## 관계에 얽힌 분노

많은 이가 분노하였다. 아이코, 요헤이(아이코의 부), 유우마는 자신이 먼저 마음을 열어 보이고 사랑을 준 이, 그래서 자신을 믿게 된 이에게 큰 상처를 준다. 그들은 믿을 곳 하나 없다 여긴 세상에서 만난 믿을 수 있고 의지할 수 있는 이였기에 타시로도, 나오토도 무방비 상태로 마음을 열었다. 그들은 그런 이들의 믿음을 처절히 짓밟았다. 뒤늦게 자신의 실수를 깨달은 그들은 분노한다. 정말 사랑한 이였기에 이들이 받았을 상처를 떠올리며 조금 더 믿어주지 못한 자신을 향해 분노한다.

이즈미는 미군에 의해 성폭행당한다. 그러나 이 끔찍한 사건보다도 그녀를 더 분노케 하는 것은 자신의 억울함을 알릴 수조차 없는 현실에 있다. 어차피 말해봤자 바뀌지 않는다. 그녀는 그런 현실, 자신의 무기력함에 분노한다. 타츠야의 경우 조금 더 복합적인 분노를 보인다. 바뀌지 않는 현실에 대한 분노, 아무것도 할 수 없는 무력감과 이즈미를 고통에 빠뜨린 데 대한 죄책감에서 시작된 자신을 향한 분노, 믿었던 타나카의 배신에 대한 분노.

타나카의 분노는 사실 우리에게 익숙한 형태는 아니다. 그의 분노에 대한 역치는 대부분의 사람보다 낮은 편이다. 분노하는 타이밍, 포인트 또한 남들과

114

는 조금 다르다. 크게는 타인이 자신을 동정할 때, 타인이 자신의 기준에 맞지 않는 행동을 할 때 분노한다. 여기서 특히나 눈여겨볼 점은 표출된 분노의 형태이다. 강자에 의해 발생한 분노는 비아냥거리기만 할 뿐 참고 넘어간다. 이때 운 나쁜, 친절한 약자를 만나면 그 사람에게 분풀이한다. 그의 이러한 분노는 많은 부분에서 타인에 의해 상대적으로 떨어진 자신의 가치, 즉 '열등감'에 의해 설명된다.

## 분노하는 이유

시선을 영화 속 인물이 아닌 우리 자신에게로 돌려보자. 죄책감과 미안함으로 얼룩진 분노, 무력감에 대한 분노, 누군가로부터 배신당했을 때 느끼는 분노는 우리도 일상에서 쉽게 느낄 수 있는 분노이다. 그 때문에 영화를 보며 더 공감할 수 있었고 더 마음 아팠고 더 화가 났다. 누구보다 잘 아는 감정은 보여주는바 이상으로 나를 뒤흔든다.

제삼자는 약자와 강자 중 어떤 이에게 더 가까울까? 나의 경우 약자의 입장에 서서 바라볼 때가 더 많다. 이타적인 마음, 세상의 밸런스를 맞추기 위한 그런 온화한 마음에 기인한 것은 아니다. 오히려 더 이기적이고 자기중심적인 마음에서 약자의 편에 선다. 약자보다 강자를 비난하는 게 더 마음이 편하다. 일단 상대적으로 죄책감이 들지 않는 데다 주변의 시선을 의식하는 것도 그 이유이다. 이유야 어찌 되었든 약자의 편에서 이해하고 편들어주는 게 익숙한 나에게 이 영화는 그 이상의 분노를 안겨준다.

<분노>는 영화와 관객 사이의 거리가 가까운 편이다. 영화가 보여주는 분노는 충분히 또는 그 이상으로 관객에게 전달된다. 환기구가 없어 답답한 느낌, 그 벗어날 수 없는 울타리 안에서 분노는 소모되지 않고 계속해서 축적된다. 이렇게 가중된 우리의 분노가 영화의 마지막 완성도를 채운다.

## 그래서?

의외로 인간에 대한 불신과 분노, 좌절감보다 안타까움과 씁쓸함, 측은함이 더 크게 남는다. 사람은 너무나 약한 존재이다. 특히 감정에 취약하다. 누군가가 주는 상처에 약하고 나의 감정에 약하다. 감정은 집중해서 제어하지 않으면 너무나 쉽게 자신을 삼켜버린다. 그래서 우린 나약한 자신을 방어하기 위해 감정을 조금 덜 느끼는 방향으로, 딱딱하고 가벼운 인간관계를 만들게 된다. 덕분에 큰 기복 없이 그나마 평탄한 인간관계를 유지하게 된다.

영화는 그런 방어막을 허물어 버린다. 그래서 극 중 인물은 쉽게 흔들리고 상처받는다. 이는 사랑하는 관계, 신뢰하는 관계라면 자연스러운 과정이다. 하지만 상대가 나와 같은 위치가 아니라면, 나와 같은 마음이 아니라면 이후 뒤따라야 할 치유의 과정은 일어나지 않는다. 그렇게 그로부터 받은 상처는 아물지 못한 채 오랜 시간 고통을 준다. 상처받은 이는 그 아픔에 의해 더 방어적인 사람이 되거나 더 나약한 사람, 나를 지켰던 모든 것을 놔버린 상태에 빠지게 된다.

이렇듯 영화는 감정의 벽을 무너뜨리고 약하디약한 인간 본연의 모습을 노출한다. 난 종종 '인간의 민낯을 마주하게 된 순간 불쾌감과 거부감을 느낀다'라고 말하곤 한다. 그러나 이 영화는 불쾌함보다 다독이고 싶은 마음이 더 강하게 인다. 이는 감독이 흔드는 대로 따라 흔들린 나약한 자신을 마주했기 때문일 수도, 그런 자신을 위로하기 위함일 수도 있을 것이다.

# 언더 더 트리

하프슈타인 군나르 지그라쏜 감독의 언더 더 트리(2017)

## 이 영화가 불편한 진짜 이유

우린 아무렇지도 않게 사람을 죽이는 영화를 본다. 심지어 거기서 재미까지 느낀다. 우리는 영화를 보는 순간만큼은 평소의 도덕적 잣대를 내려놓고 영화가 제공하는 쾌감에 오롯이 젖어 든다. 즉, 몸에 밴 도덕성이라 할지라도 별다른 불편함 없이, 오히려 흥미롭게 부도덕한 행위를 즐길 수 있는 게 영화라는 매체이다. 그래서 궁금증이 인다. <언더 더 트리>가 불편한 진짜 이유에 대해.

## 잉가가 주는 불편함

이 영화에서 가장 불편한 인물을 꼽자면 단연코 잉가가 아닐까? 셰퍼드를 죽여 박제한 장면과 엔딩씬에서 살아 돌아온 고양이를 마주하는 장면은 우리의 분노를 극에 달하게 한다. 인간이라면 이성을 가지고 있기에 해도 될 일과 해선 안 될 일을 구분하기 마련이다. 정상적인 사람이라면 복수를 위해, 자신의 분노 표출을 위해 무고한 동물을 죽이는 그런 극악무도한 일은 하지 않는다. 영화 속에서 그녀는 일에서부터 열까지 부도덕한 사람으로 비친다. 그리고 우린 그런 그녀를 보면서 불편함을 느낀다. 이제 우린 부도덕함이 우릴 불편하게 만든다고 단정 짓게 된다. 그런데 정말 여기서 멈춰도 될까?


잉가가 악역이 된 이유, 불편한 인물로 꼽히게 된 이유가 그녀의 부도덕함 때문인가를 생각해보면 그런 것 같진 않다. 정확하게는 그 조건만으로는 꼴 보기 싫은 인간상이 만들어지지 않는단 말이다. 잉가에 대해 하나씩 살펴보면 그녀는 굉장히 자기중심적인 인물이다. 게다가 그녀는 감정적이고 근거 없이 타인을 비난한다. 그녀는 사랑하는 아들을 잃었다. 그 상실의 고통 속에 무너져 내린 그녀는 세상에 나보다 더한 상처와 고통을 짊어진 이는 없다는 듯 타인을 존중하지 않고 무시한다. 자신의 고통만이 중요시 돼야 하고 이해받아야 하며 존중받아야 한다. 그녀가 보여주는 이러한 이기심은 우릴 그녀로부터 더욱더 등지게 만든다. 정리하자면 그녀가 불편한 근본적인 이유는 사람을 함부로 비난하고 의심하면 안 된다는 기준에 의해서라거나 아무 죄 없는 동물의 생명을 함부로 취하면 안 된다는 기준에 의해서라기보다는 그녀의 이기적인 태도가, 그녀가 안하무인으로 행동하는 것이 우리의 마음에 들지 않아서라는 데 더 가깝다. 이에 더해 우린 상황을 악화시키는 인물을 싫어한다. 나에게 해가 되기 때문이기도 하고, 답답함 때문이기도 하고. 그런 측면에서도 잉가는 최악의 인물로 비칠 수 있다.

## 가시방석의 탄생

전반적으로 경직되고 예민한 분위기가 눈에 띈다. 인물의 심리에서도, 극의 분위기에서도 굉장히 딱딱하고 답답하며 언제 깨질지 모를 아슬아슬함이 느껴진다. 이런 상황과 분위기는 보는 이에게도 굉장히 위협적으로 다가온다. 이런 위협은 상대를 방어적으로 만든다. 모든 것을 오픈하고 보기에는 내가 다치거나 충격받을 수 있기 때문이다.

싫어하는 요소의 극대화. 이 영화엔 우리가 싫어할 법한 것들이 아주 뚜렷하고 예민하게 다뤄지고 있다. 차마 우리의 시선은 이를 피해 가지 못하고 그 요소를 직시하게 된다. 불편한 것은 불편한 상황에서 마주하면 더욱더 싫어진다. 그렇게 영화를 통해 관객의 마음속에도 짜증과 분노가 자리하게 된다.

## 나무라는 존재

처음엔 이웃 간의 겉보기 불화가 나무임을, 즉 진짜 불화의 원인이 아닌 허황한 이유를 들어 억지를 부리는 것을 나무를 통해 풍자한 것으로 생각했다.

그땐 나무라는 소재에 상당한 의미를 부여했다. 이는 영화에 대해 여기저기서 제공하는 정보로부터 깔고 간 첫인상 때문이었다. 실제로 나무를 벤다고 갈등은 해소되지 않는다. 오히려 나무를 베어버림으로써 돌이킬 수 없는 상황에까지 이르게 된다. '원인 파악을 제대로 해야만 문제를 잘 해결할 수 있다.' 영화를 통해 얻은 교훈이었다.

그런데 다시 봤을 땐 의미가 더 이상 전과 같지 않았다. 의미적인, 교훈적인 측면보다 사건의 발단, 사건의 공간으로써 그 의미가 짙어졌다. 큰 의미보다는 도구에 지나지 않는 느낌이다. 사건을 발생시키기 위한 도구, 당신의 불편함을 극대화할 도구.

또 다른 역할로는 서로 다른 이야기의 접합이 있다. 이 영화는 크게 두 개의 이야기로 나뉜다. 이웃 간의 불화를 다룬 이야기와 가정의 불화를 다룬 이야기. 물론 두 이야기는 주연인 아틀리를 통해 이어져 있다. 그러나 이 두 사건은 인물 및 시공간적으로는 이어져 있음에도 개별적인 성향이 강하다. 이러한 개별성을 의미적으로는 '불화'를 통해 연결 지었는데 사건적으로는 그 연결지점을 '나무'에서 찾았다. 왜냐하면 나무는 이웃의 문제가 집중되는 주 무대이자 아내의 이혼 메일을 받은 아틀리, 이제야 편안해진 아틀리를 죽음에 이르게 하는 종결 장치이기 때문이다. 그렇게 이어진 이야기들은 끝내

'불편함'으로 모든 것을 매듭짓는다.


## 불편함이 미치는 영향


<언더 더 트리>는 왜 불편하게 만들어졌는가? 이런 불편함을 통해 잉가와 같은 인물을 비판하기 위해서? 그렇다고 그녀를 가엾게 여기라고 만든 것도 아닌 듯하다. 똑같은 상황이라도 편안하고 즐거운 분위기에서 받아들이는 것과 불편하고 경직된 분위기에서 마주하는 것은 천지 차이다. 전자의 경우 별다른 거부감 없이 현상을 바라보게 하고 이를 긍정적으로 받아들이게 한다. 후자는 거부감을 불러일으키고 외면하려는 심리를 자극한다. 또한 주목하게 만드는, 이후 다시금 떠올리게 하는 그런 묘한 힘을 발휘하기도 한다.


내가 발견한 이 영화의 시작, 그 모든 근원은 '누군가를 싫어하는 마음'이다. 인간관계는 억지로 유지하려고 들수록, 부여잡으면 잡을수록 더욱더 틀어지게 마련이다. 좋게 보려 해도 싫은 점이 더 자주 눈에 밟힌다. 꼴 보기 싫어 눈을 돌려도 자꾸만 짜증 나는 점들이 하나둘씩 떠올라 대상이 더 싫어하게 된다.

불편함이 만드는 영향? 사실 이 영화는 그런 영향력을 누리고자 한 것 같진 않다. 그저 인간의 심리를, 인간이 싫어하는 것을 더욱 싫어하게 되는 메커니즘을 잘 관찰해뒀다가 이를 영화화한 것이 아닐까 싶다.

# 어느 가족

고레에다 히로카즈 감독의 어느 가족(2018)

## 좁고 깊은 것

가족이라는 소재는 풍부한 듯하면서도 굉장히 '협소'하다. 이런 협소함은 극에 대한 관객의 이해를 돕기엔 좋다. 영화가 특정 가족의 모습을 추상적으로 또는 새로운 형태로 담아내도 관객이 기존에 가지고 있던 가족에 대한 이미지가 빈 여백을 충분히 메울 수 있기 때문이다. 이는 같은 이유로 공감을 얻기에도, 감정의 깊이를 더하기에도 좋다.

반면에 강하게 자리 잡은 가족에 대한 이미지는 오히려 영화 자체에 대한 감상을 방해하기도 한다. 영화가 가족을 통해 다양한 것을 복합적인 형태로 말하려 해도 받아들이는 입장에서 기존의 강한 인식으로 많은 것을 걸러버리기 때문이다. 해서 가족이란 소재는 감상의 다양성을 상당 부분 죽일 수 있다.

## 다르게, 풍부하게

이 영화의 가족은 모양새만 보면 독특하다고 말하기 어렵다. 물론 현실에서 자주 접할 수 있는, 그런 익숙한 형태는 아니다. 허나 우린 이미 많은 매체, 많은 작품에서 보편적이지 않은 가족의 모습을 자주 접해왔기에 이들을 보고도 새롭다 느끼긴 어려울 수 있다. 이에 더해 이 영화 속 가족은 현실적으로도 존재할 법하기에 특히나 신선함을 주긴 힘들다. 그러나 <어느 가족>은 이런 상황에서도 이들 가족을 통해 충분한 신선함을 전한다.

고레에다 히로카즈 감독은 '가족' 영화 전문으로 유명하다. 그의 작품엔 오랜 시간 들여다보고 관심을 가진 사람만의 깊이가 묻어있다. 그의 섬세한 표현력은 작고 미묘한 감정 하나도 놓치지 않고 모두 영상에 담아낸다. 그리고 이를 영화적이지 않게, 현실적으로, 담담하게 풀어서 보여준다. 설정과 상황은 자극적일지라도 감정에 있어서만큼은 과함이 없다.

이러한 이유 때문인지 그가 말하는 가족은 다른 영화에 비해 덜 걸러진 형태로, 다양성을 유지한 채로 받아들이게 된다. 그가 보여주는 방대함, 보이는 것 이상의 복잡함을 영화의 속도에 맞춰 조금씩, 천천히 따라가다 보면 기존의 것은 새로이 각색되어 나온다. 작은 것 하나도 집중해서 바라보게 하는 연출력이, 영상을 통해 전해지는 그의 철학과 애정이, 익숙하지 않은 형태를 보고도 공감하고 이해하게 하는 힘이 기존의 가족을 와해시키고 새로운 가족을 탄생시킨다.

## 수긍의 이유

처음엔 이들의 삶, 이들의 비정상적인 가족 관계와 도둑질을 비롯한 비도덕적이고 불법적인 방식으로의 생계유지가 나의 불안을 자극했다. 그러나 극이 진행될수록 아슬아슬함은 덜어지고 오히려 안정감과 안도감이 높아졌다. 이들을 둘러싼 따뜻한 분위기와 그들 사이에 오가는 사랑이 이들을 여느 가족보다 더 이상적으로 보이게 했다. 억지로 부여잡지 않은, 자연스러운 선택에 의해 형성된 관계. '선택'으로 이어진 유대관계는 어쩌면 피보다 진할 수 있겠단 그들의 논리는 내게도 통했다.

이런 정상적이지 못한 관계를 보고도 고개 끄덕이게 되는 이유 중 하나가 이 세상에 부족하거나 불행한 가족이 존재하기 때문이지 않을까 싶다. 만약 이 세상 모든 가정이 이상적이라 늘 화목하고 따뜻하기만 하다면 이 영화의 가족을 보고 긍정적인 반응을 하기 어려울 것이다. 우리가 결핍의 존재를 인식하고 있을 때 이들의 기이한 관계를 보고도 가족이라 인정할 수 있다. 결핍은 어떤 형태, 어떤 강도가 되었든, 그 대상이 누구든 간에 우리에게 영향을 미친다. 그리고 그로부터 우린 채우려는 욕구를 느끼게 된다. 영화는 이들 가족 사이를 든든하게 채워놓았다. 이로부터 받는 포만감은 자연스레 이들이 주장하는 그들의 관계를 수긍하게 만든다.

또 다른 이유는 이들 가족을 바라보는 감독의 시선, 이들을 대하는 그의 태도에서 찾을 수 있다. 버려진 자들 사이에 형성된 유대에서 그 견고함에 대해 의심은 해볼 지언정 부정적이고 냉랭한 시선을 보내진 않는다. 비록 언제 무너질지 모를 모래성일지라도 서로를 필요로 하고 따뜻하게 보듬어줄 수만 있다면 다시 찾고 싶어지고 함께 하고 싶어지며 감정을 섞고 싶어진다. 감독은 그런 필요의 가능성을 처음부터 끝까지 유지했다. 그의 이런 태도에 동화되어 나 또한 덩달아 이들 관계의 영원을 기대하게 된다.

# 단지 세상의 끝

자비에 돌란 감독의 단지 세상의 끝(2016)

## 자연스러운, 친숙한

자비에 돌란 감독의 작품에선 매번 인위적인 느낌을 받는다. 이번 작품에서도 쥐어 짜낸 듯한, 억지로 갖춰진 한 가족을 보았다. 영화에서의 이러한 인위성은 영화를 보다 영화적으로, 하나의 사건을 보다 집중적으로 보여주기 좋다. 그런 효과 덕분인지 돌란의 영화를 보면 다루는 소재가 비록 흔할지라도 다른 영화에 비해 '영화 같다', '하나의 예술 작품이다' 라는 말을 절로 하게 된다.

그런데 이번 작품과 그의 또 다른 가족 소재의 영화 <아이 킬드 마이 마더, 2009>에선 조금 다른 감상을 하게 된다. 이들 작품에선 인위적이고 극적인 분위기 속에서 친숙함, 익숙함까지도 발견할 수 있다. 물론 이러한 감상엔 소재가 미치는 영향도 있을 것이다. 그러나 소재 하나만으로 돌란 감독 스타일에서 친숙함을 찾긴 어렵다. 이 영화에선 진짜 가족에 대한 그의 관찰력을 엿볼 수 있다. 이 관찰력이 발생한 디테일에서 친숙함을 넘어 공감까지도 이뤄질 수 있게 한다.

## 불화의 효과

두 번째 관람이었음에도 보기 힘들었다. 앙투안은 계속해서 상황을 악화시킨다. 긴장이 풀릴만 하면 그는 험악한 분위기를 조성하며 영화 안팎의 사람을 모두 가시방석에 앉혀버린다. 그저 빨리 이 순간이 지나 그곳을 빠져나오고 싶단 생각만 들게 한다. 불협화음. 앙투안이 만든 불화가 집에 모인 모든 이를 한 데 섞일 수 없게 한다.

초반까지만 해도 이들의 불화가 영화에서 수행하는 역할은 긴장감 형성이 다였다. 그런데 시간이 지나고 루이가 가족들의 마음을 조금씩 알아가게 되면서 불화는 다른 형태로 다가오게 된다. 서운함과 상처. 오랜 시간 큰 상처를 받은 이는 체념적인 모습을 보이기도 하지만 한껏 날카로워진 모습을 보이기도 한다. 그래서 보면 볼수록, 진심을 알면 알수록 불편함은 아픔으로 변하게 된다.

## 좁혀지지 않는 거리

끝내 그들은 가족이란 이름으로 가까워지지 못한 채 멀어진다. 그들은 극 안에서 서로 상처 주고 상처받으며 좁혀지지 않을 거리를 좁히려고 노력한다. 거리 형성은 여러 방식으로 이루어지는데 이 글에선 루이에게 좀 더 집중하려고 한다.

루이는 자신이 오래 살지 못한다는 사실을 가족에게 알려야 한다. 그러나 집에서 보내는 시간이 길어질수록 가족, 특히나 형제들의 마음을 알게 될수록 더욱더 진실을 알리기 어려워진다. 더 큰 상처를 주게 될까 두려운 마음이 거리를 좁히고자 하는 시도와 거릴 더 벌리고자 하는 이중적인 마음을 형성한다.

## 상처

이 영화에선 유독 상처란 단어가 깊게 새겨진다. 아무 이유도 없이 나를 떠난 이가 돌아왔다. 그는 계속해서 시계를 보고 단지 세 마디를 던지며, 속을 알 수 없는 일관된 미소를 짓는다. 마치 잠시 머물다 갈 사람처럼, 이미 영원히 떠나버린 사람처럼 구는데 그런 그를 가족들은 붙잡고 싶어 한다. 이런 간극, 표면적으로 드러나는 그들 사이에 오가는 마음의 크기 차이가 상처를 도드라지게 한다.

요즘 종종 그런 상처에 대해 생각한다. 누군가 또는 그들이 내 곁을 떠났고 그 뒤에 홀로 남아 그들이 떠난 이유를 계속해서 곱씹어보는 모습을. 그리고 그런 부질없는 이유 찾기가 스스로 상처를 주고 다음에 만날 인연에게 또 다른 상처를 받을 계기를 마련하는 것에 지나지 않는다는 것을. 어린 나이에 겪는 이별이 유난히 그런 상처를 많이 낳는구나 하는 생각을 이 영화를 보면서도 하게 됐다.

## 새로운 집

나의 존재를 확인하는 곳, 상처줄 수 있고 상처받을 수 있는 공간, 나를 짓누르기도 하고 포근하게 감싸기도 하는, 긴장과 안정이 공존하는 그곳, 집. 우린 집이란 한정된 공간에서 수많은 기억을 쌓는다. 그 안엔 굉장히 복잡하고 다채로운 것들이 눌러 담겨 있는데 평상시에는 단순한 형태로 꺼내 보게 된다.

영화 등의 매체를 통해 평소 꺼내 보던 단순한 형태가 아닌 다른 각도, 다른 형태의 집을 마주할 때면 나라는 존재가 풍부해지고 깊어지게 된다. 분명 내 안에 있었음에도 모르고 있던 기억을 들춰내는 것만으로도 변화가 만들어진다. 그것이 비록 착각에 지나지 않을지라도 익숙한 사고에 더해진 새로움은 의미의 무게를 더한다. 간접적으로 나의 존재 가치를 만들어낸다.

# 가버나움

나딘 라바키 감독의 가버나움(2018)

## 슬픔 말고

생각보다는 덤덤하게 봤다. 너무 몰입한 나머지 울고불고할 줄 알았는데 의외로 남 일처럼 차분히 받아들였다. 이는 관객이 객관적인 시선으로 영화를 볼 수 있게끔 적절한 거리가 조성된 덕분일 수도, 내가 이기적인 사람이기 때문일 수도 있다. 그것도 아니면 내가 이 영화를 볼 때만큼은 다른 시선과 태도로 봤던 것일 수도 있고.

그렇다고 아무 감정도 느끼지 않았다는 건 아니다. 영화 속 이들의 삶에서 안타까움은 느꼈다. 다만 이들의 감정까지는 내게 전달되지 않았을 뿐이다. 그저 이들의 표정을 보면서도, 그들의 말을 들으면서도 감정이 읽히지 않았을 뿐이다.

## 과함으로 무뎌진

이 읽히지 않는 감정은 영화의 부족함 즉, 연기의 문제도, 연출의 문제도 아닌 '풍족함'에 기인한다. 이들의 처절함이 너무나 풍족하기 때문에, 내가 받아들일 수 있는 한계를 넘었기 때문에 이들의 삶이 지닌 아픔을 온전히 받아들이지 못했다. 내가 이해할 수 있는 그릇이 되지 못했기에 포기한 것이다.

그래서인지 이들 모두가 모든 걸 내려놓았단 생각이 영화를 보는 내내 들었다. 살기 위해 아등바등하는 모습마저도 앞으로 나아가기 위함이 아닌 저 밑바닥으로 가라앉기 위한 행위로만 비쳤다. 포기. 그게 차라리 편하겠다는 마음이 태연하게 만든다.

## 무채색을 만드는 요소

아이의 힘겨운 삶을 보여주는 작품은 많다. 이들은 저마다 다른 색채와 형태로 다뤄지는데 이 작품의 경우 위에서 말한 것과 같이 무감각하다. 극 안에서 많은 사건이 발생하고 많은 대화와 많은 감정이 오가는데도 전혀 생동감을 느껴지지 못했다. 고레에다 히로카즈 감독의 <아무도 모른다, 2004>, 김태용 감독의 <거인, 2014>, 김의석 감독의 <죄 많은 소녀, 2017>, 프랑수아 트뤼포 감독의 <400번의 구타, 1959> 등 아이의 고난과 역경, 아픔을 다룬 다른 작품을 놓고 봐도 이 작품은 유난히 힘이 빠져있단 생각이 든다.

제삼자의 눈에 비친 타인의 삶에 생명력을 불어넣기 위한 출발점은 '이해로부터의 자유'에 있을지도 모른다. 기억을 더듬어보면 내가 유독 사회, 배경에 대한 이해가 크게 중요해 보이는 영화를 감상할 때는 평소보다 많은 에너지를 소모한다. 특히나 그것이 내게는 낯선 환경이라면 영화는 아예 뒷전이된다. 지금 이 영화가 제시하는 배경을 모두 이해하겠다는 게 제1의 목표가된다.

인물을 이해하기 위해선 주어진 배경에 대한 이해가 중요하다. 허나 배경에 너무 집착한 나머지 바쁘게 쫓기만 한다면 영화는 뉴스처럼 무미건조해진다. 자인의 동네를 이해하는데 목매지 말고 그저 자인의 눈에 담긴 것들만보았다면 영화에 담긴 이들의 삶이 이렇게 딱딱하게만 다가오지 않았을 텐데, 이들의 꿈틀거림에서도 생동감을 발견할 수 있었을 텐데 하는 아쉬움이남는다.

## 다른 시작점과 다른 영향

법정, 아이와 부모, 그리고 자신을 태어나게 한 죄에 대한 고발. 영화의 도입부는 굉장히 중요한 역할을 한다. 첫인상이 이후를 좌지우지한다. 길잡이 역할을 하는 셈이다. 영화에서뿐만 아니라 우리의 현실에서도 첫인상은 중요하다. 그러나 요즘은 생각이 달라졌다. 저 말이 다들 믿기 때문에 나 또한 당연시하게 된 말이 아닌가 하는 의심이 든다. 이후의 과정에 집중하다 보면 첫인상은 급격한 속도로 사라진다. 그리고 현재, 가까운 과거의 이미지만 남는다. 우린 과연 시작점을 얼마나 중요시하며 그로부터 얼마나 영향을 받는가. 영향을 아예 받지 않는다고 말하긴 어렵지만, 그 힘이 큰지는 솔직히 모르겠다. 왜냐하면 대부분의 영화가 매번 토론 때마다 도입부가 잘 기억이 나지 않는 데다 마지막 감상이 도입부와 크게 맞닿아 있지 않았기 때문이다.

반대로 다른 시작점은 큰 영향을 미쳤다. 이 영화가 개봉된 당시 본의 아니게 주변으로부터 영화에 대한 평을 많이 들었다. 그들의 말 덕분에 꼭 봐야겠단 의지도 생겼지만, 한편으론 영화를 보는 데 적잖이 방해를 받기도 했다. 아이가 자신을 태어나게 한 죄로 부모를 고발한다. 영화의 도입부만 봐도 알 수 있는 사실이다. 그러나 앞서 말했듯 생각보다 영화의 도입부는 영화를 감상하는 데 있어 큰 영향력을 행사하진 않는다. 하지만 타인의 입을 빌려 얻게 된 정보, 이 영화에 대한 소개, 그 평가 하나가 영화의 모든 이야기를 이 멘트에 결부시키려고 노력하게 했고 이 멘트 하나로 모든 이야기를 이해하려고 노력하게 했다.

의식과 무의식의 차이. 같은 시작이라도 하나는 방해가 될 정도로 강한 영향력을 행사하고 다른 하나는 그런 게 있었나 싶을 만큼 미비하게 영향을 준다. <가버나움>은 그 차이를 유난히 크게 느끼게 했고 그래서 그간 많은 영화를 봐오면서도 하지 못했던 생각을 오늘에서야 하게 만들었다.

# 에이 아이

스티븐 스필버그 감독의 에이 아이(2001)

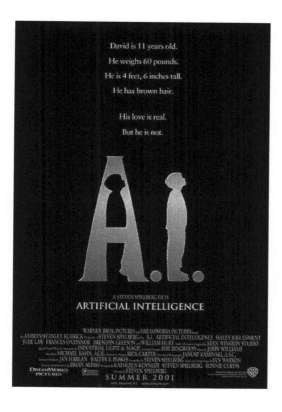

## 가족이 될 수 없는 데이빗

데이빗이 가족으로부터 사랑받지 못한 이유는 무엇이었나? 데이빗의 가족은 데이빗의 여러 측면 중 위험성을 먼저 인식했다. 이렇게 부정적인 시선이 우선적으로 작용한 데는 여러 이유가 있다. 로봇 산업에 대한 우려, 메카는 인간보다 못하다는 사회의 인식 그리고 메카로 마틴을 대체하려는 데 대한 그들의 죄책감이 긍정적인 시선보다 부정적인 시선을 더욱더 가중한 것이리라.

## 데이빗을 향한 또 다른 시선

다행히도 모든 이의 반응이 차갑기만 한 것은 아니다. 로봇 축제에서 사람들이 보여준 반응은 따뜻했다. 그들은 왜 가족들과는 다른 반응을 보인 것일까?

로봇 축제 현장. 그곳에 모인 이들은 사람의 가치를 우선시했다. 로봇의 가치를 떨어뜨림으로써 인간의 가치, 생명의 가치를 드높인다. 그런 의도로 만들어진 축제에 데이빗이 등장한다. 진짜 아이의 모습을 하고 살려달라 울부짖는 데이빗을 본 이들은 축제 진행자를 향해 분노한다.

첫째로 이들은 데이빗이 진짜 인간과 흡사하기에 로봇이라는 의심 자체를 거부한다. 특히 데이빗은 그들의 삶과 큰 연관성이 없다는 점, 이들은 그저 즐기는 목적하에 모였단 점이 데이빗을 향한 깊은 생각과 고민, 의심까지는 이어지지 않게 만든다.

둘째로는 우리 인간이 아이라는 존재에게 가지는 기존의 인식이 있다. 우리가 아이를 보는 시선은 어른을 볼 때와는 확연히 다르다. 더욱 조심스럽고 애정이 실리게 된다. 이런 인식과 자세가 많은 부분에서 내 입장보다는 아이에게 초점을 맞추게 한다.

## 엄마를 향한 데이빗의 사랑

개연성을 찾기 어려운 사랑, 한쪽으로 유난히 치우친 사랑 그리고 그 사랑에서 비롯된 부정적인 사건과 영향. 이런 요소가 집약된 사랑은 보기 불편하다. 사실 이는 사랑이기보단 일방적인 집착으로 보인다(물론, 이건 저마다 지닌 사랑의 정의에 따라 달리 볼 수 있다). 그런 인식에도 불구하고 데이빗이 보이는 모니카를 향한 사랑에선 불편함이 거의 없다시피 했다.

아마 대부분의 이들이 데이빗에게 이입하고 영화를 봤을 것이다(그렇게 보게끔 만들어졌기도 하고). 그런 감상 관점이 인물에 대한, 특히 심리적 이해를 높이지 않았나 싶다. 결국 사랑을 정의하고 이해하는 데에다 관점과 상황 등이 큰 영향을 미치기 때문에 기존의 정의완 다른 시선으로 보게 된다.

사랑의 무게도 그렇다. 집착을 사랑으로 인정하기 어렵다고 말하는 이유 중 하나가 상대에 대한 배려와 존중이 없기 때문이다. 그런 무게 차이가 이 영화에선 모니카가 아닌 데이빗에게로 실린다. 모니카는 데이빗의 사랑을 깨우고 자신은 그에 대한 책임을 지기로 한다. 그러나 그녀는 결국 책임이 아닌 유기를 택한다. 프로그램상 데이빗은 모니카를 잊을 수도, 버릴 수도 없으나 인간인 그녀는 아픈 마음을 뒤로하고 데이빗을 버린다.

## 특별하길 바라는 마음

로봇 또는 사물은 기능을 중심으로 보게 된다. 특정 기능을 기대하고 구매한 제품이 고장 난다면 우린 동일한 기능을 수행하는 다른 제품을 구매한다. 여기서 특별함을 기대하긴 어렵다. 추억이나 애정 없이는 로봇이든 사물이든 특별해지지 않는다.

누군가에 의해 대체할 수 없는 사람이 되길 바라는 마음은 인간이라면 누구나 지니고 있을 것이다. 내가 특별하다면, 이 세상에 나 같은 사람이 나 하나뿐이라면 그만큼 세상은 나의 가치를 높게 살 것이며 나를 그 무엇보다 소중히 할 것이다. 그렇게만 된다면 버려질 일도 없고 그 버려짐의 우려로 받을 또는 진짜 버려짐을 당함으로써 받을 상처도 없을 것이다.

그러나 세상엔 나를 대체할 것이 너무도 많다. 아무리 세상에 똑같은 사람은 없다 하여도 나를 바라보는 타인의 눈은 그 사람이 다 그 사람일 터. 이러한 현실을 영화를 통해 더 뚜렷이 인식할 수 있었다.

# 플로리다 프로젝트

션 베이커 감독의 플로리다 프로젝트(2017)

## 순수함

이 영화는 표면적으로는 굉장히 "순수"하다. 아이들이 자유롭게 뛰어놀고 영화 내엔 사랑스러운 분위기가 넘쳐난다. 장면 하나하나가 맑고 투명하며 동화적이다. 엄마인 핼리는 딸인 무니를 사랑한다. 친구들 또한 무니를 좋아한다. 그들의 막힘없는 관계가 그들을 순수한 존재로 만든다.

난 순수함을 때가 묻지 않은 상태로 정의한다. 이때의 때는 드러나는 행위, 감정이 본래의 의도를 고의로 감출 때 만들어지는 것이다. 그런 측면에서 솔직하게, 꾸밈없이 사는 이들의 모습은 순수하기만 하다.

아이는 순수함을 가장 잘 대변하는 존재이다. 아직은 현실이 주는 아픔을 알지도, 이해하지도 못한다. 내일에 대한 걱정과 불안은 없다. 그저 지금, 이 순간을 즐길 수 있다면, 지금이 행복하면 그만이다. 이들의 순수성은 어른으로부터 보호받는다. 그 역할을 바비가 수행한다. 그래서 곳곳에 자리한 현실의 잔혹함을 맞닥뜨릴 때도 순수성이 보존될 수 있었다.

## 깨어나는 현실성을 뒤로하고

이 영화 속 동화에 온전히 심취해있기 힘들다. 현실은 이 발랄하고 사랑스러운 세상에서도 자신이 존재함을 우리 모두에게 계속해서 일깨운다. 우리에게 익숙하진 않은 가족의 형태, 불안정한 주거 및 생활 환경, 자유롭게 뛰어노는 듯싶지만 사실은 방임된 채 자라는 아이들. 아이들의 공간하면 떠오르는 이미지와는 부합하지 않는 것들이 많다.

이러한 동화와 잔혹한 현실 사이의 괴리감이 이들 삶의 숨겨진 처참함을 더 극적으로 만들 것 같지만 그렇진 않았다. 감상 이후 이성적인 태도로 이들 삶의 문제는 무엇이고 이를 해결하기 위한 방안은 무엇이 있는가를 고민할 것 같았지만 그렇지 않았다.

영화가 끝난 직후의 난 어른이 아닌 아이였다. 내가 인식한 것 이상으로 이들에게 너무 동화됐지 않았나 싶다. 그래서 이 영화의 끝에 남긴 것도 현실의 참혹함과 냉철함, 무관심함보다는 그럼에도 이들의 사랑스러운 삶, 진심으로 사랑하고 위하는 관계에 더 눈이 갔나 보다.

## 분리의 타당성

우린 왜 건강한 가족의 형태로 나아가야 하는가. 무니는 핼리와 분리되어야만 했는가. 사랑하는 이들을 분리해야 할 만큼 건강하지 못한 상태란 어떤 모습이어야 하는가.

무니와 핼리 앞에서 기존에 옳다 여겼던 잣대가 무너졌다. 이전까지만 해도 제대로 된 부모라면 건강한 사고를 가지고 있어야 하고 한 생명을 키우는 데 대한 책임감이 강해야 하며 아이가 자라기 좋은 환경을 구축할 수 있어야 한다는 생각이 지배적이었다. 이는 가장 기본적이고 필수적인 조건이라 무조건 지켜져야 하며 이 중 하나라도 갖추지 못한 부모는 아이를 키울 자격이 없다 생각했다.

영화는 그래서 무섭다. 기존에 가지고 있던 그 강한 관념을 무너뜨렸으니. 물론 이런 환경 속에서 무니의 미래가 밝기를 기대하긴 어렵다. 이성적으로는 이들이 건강하지 못한 것을 인정한다. 그러나 마음은 이들의 분리를 허용하기가 쉽지 않다. 분명 이들이 가족에 대한 기본적이고 필수적인 조건을 벗어남에도 진정한 가족, 마음으로 이어진 관계임을 부인하기 어려우므로.

# 라라랜드

데이미언 셔젤 감독의 라라랜드(2016)

## 뮤지컬 영화

뮤지컬 영화하면 바로 떠오르는 것은 춤과 노래이다. 그런데 이번 영화는 이게 다가 아님을 알게 했다. 분명 영화의 공간 배경은 무대 밖인데 연극 무대 같다는 느낌을 받게 된다. 장면들을 하나씩 들여다보면 왜 그런지 알 수 있다. 연극적인 묘사, 스포트라이트, 뮤지컬 무대 위에 있는 듯한 인물들의 제스처는 물론이고 그들의 과장된 표정 연기. 이 영화는 그 와중에 영화라는 매체에서 얻어갈 수 있는 장점까지 챙겼다. 배경의 자유로움과 다양한 등장인물들, 무대에선 살리기 힘든 규모. 정말 영화와 뮤지컬을 동시에 잘 살린 영화다.

## 재즈를 정말로 사랑한다면

구식 자동차에, 유행에 뒤떨어진 재즈를 사랑하고, 누군가가 사용했던 물건에 둘러싸여 사는 남자. 클래식한 것을 사랑하는 그를 보니 오래된 것들에 대해 생각해보게 된다. 오래된 것들은 살아서 버텨온 세월의 무게만큼 묵직함을 자랑한다. 흔들리지 않을 것 같은 강직함. 하지만 세상은 변한다. 변화 앞에선 그 묵직함도, 강직함도 무용지물이다.

영화에서 유행과 결합한 재즈가 탄생하는 장면이 나온다. 살아남기 위한 어쩔 수 없는 선택. 재즈가 다시 사랑받기 위해선 대중의 마음을 사로잡아야 하고, 대중을 사로잡기 위해선 현대적인 재즈의 재탄생은 불가피하고. 하지만 '온고지신'에 익숙해져 있던 나도 새로운 재즈의 탄생은 그리 편히 보지 못했다. 참으로 아이러니한 상황이다.

살아남아 사랑받기 위해서라면 발전은 필수다. 하지만 재즈를 그 자체만으로 사랑받게 하는 것은 정말 어려운 일일까? 이에 대한 답은 영화의 엔딩에서 얻을 수 있었다. 대중의 관심을 끌고 싶다면 재즈 자체가 아니라 그 주변의 것을 바꾸면 되는 것이다. 정말로 당신이 재즈를 사랑한다면 재즈를 훼손시키지 말자. 그 자체로 사랑받게 하자.

## 자세히 보아야 예쁘다, 오래 보아야 사랑스럽다

이 영화를 처음 봤을 때의 내가 생각난다. 당시엔 '얻을 게 없는 영화'라고만 생각했고 그 생각은 지금에까지 이어져 라라랜드에 관해 얘기할 기회만 생기면 "난 그 영화는 별로..."라는 말을 쉽게 하고 다녔다. 대충 겉만 핥았더니 이 영화의 어여쁨과 복잡성을 알아채지 못했다. 대상의 진가를 알기 위해선 정말 자세히, 아주 자세히 들여다봐야 함을 새삼 깨닫는다. 마치 나태주 시인의 '풀꽃'처럼, 마치 재즈를 향한 세바스찬의 마음처럼.

## 소년미, 꿈으로 빛나는 사람

사람을 끌어들이는 힘은 무엇으로부터 오는가. 대중의 흐름이 사람들의 마음을 사로잡는 세상이다. 그런 세상에서 이미 한물간 재즈를 사랑하게 만들겠다는 세바스찬의 말은 현실성 없게 들린다. 배우의 꿈을 꾸고 있지만 수시로 오디션에 떨어지는 미아도 마냥 철없어 보인다. 그런데도 이 두 사람을 미워할 수 없는 건, 오히려 사랑스러운 시선으로 바라보게 하는 건 그들이 보여주는 '소년미'에 있다.

나에게 있어 소년미라는 단어는 꽤 높게 평가되는 말이다. 열망하는 무언가가 있고, 그것을 향하는 마음엔 순수함과 즐거움이 담겨있으며, 그때만큼은 맑고 밝은 사람. 그 사람은 부끄럼쟁이라 평소엔 낯을 가릴 수도 있고, 신중한 사람이라 말이 거의 없을 수도 있고, 세상에 무관심하여 뚱한 표정으로

다소 귀찮은 듯이 행동할 수도 있다. 하지만 꿈을 꿀 때만큼은 다른 사람이
된다. 그 순간만큼은 빛나는 사람. 순수하게 빛나는 사람은 관심이 갈 수밖
에 없고 사랑할 수밖에 없다.

# 블레이드 러너 2049

드니 빌뇌브 감독의 블레이드 러너 2049(2017)

## 기준선 테스트 : 통제의 수단

조는 수시로 기준선 테스트를 거친다. 하얗고 텅 빈 공간, 독립된 상태. 방안을 울리는 단어들. "감방, 연결되다, 방안에 연결되다, 두렵게, 구별되는, 두렵게 구별되는, 어둠..." 처음 이 장면에 주목하게 된 건 순전히 테스트의 메커니즘에 대한 호기심에서였다. 저 일련의 과정이 인간에게 어떤 영향을 주는 것인지, 아니면 저 과정에서 발생하는 특정 반응을 통해 현재의 심리상태를 발견해내는 것인지.

방식이야 어떻든 기준선 테스트는 통제를 위해서 대상의 특정 감정을 이용한다. <더 기버, 2014>에서는 이상적인 사회를 만들기 위해 사회 구성원들의 감정을 통제한다. 그곳의 모든 이들은 평이한 감정 상태를 가지게 되고 그 덕분인지 그곳은 행복과 평화만 존재한다. 더 기버와 블레이드 러너 2049의 공통점은 여기에 있다. 감정의 통제. 난 그중에서 불만의 통제에 관해서만 이야기하려고 한다.

불만을 잠재우고 나니 사람들은 사회가 제시하는 것에 수동적이게 되었다. 불만은 종종 부정적인 감정 취급을 당한다. 그래서 사회를 위해선 불필요한 감정이라 말할 수 있다. 하지만 이 불만이란 것은 현재의 상태가 나와 맞지 않음을 외부에 알리기 위해선, 맞지 않은 것을 내게 적합한 상태로 만들기 위해선 꼭 필요한 감정이다. 부당함을 알아차리고 이를 바로 잡기 위해, 내가 더 나은 상태에 도달하기 위해 시작되는 것. 결국 불만이란 자신을 지키기 위한 창이자 방패이기에 지켜져야 할 감정이다.

## 위와 아래의 기로

진짜 인간과 껍데기 리플리컨트. 껍데기 취급받는 이들은 진짜 인간보다 우수해 보인다. 그런데도 그들은 계급의 밑바닥에 위치해있다. 계급이 나뉘는 건 한 끗 차이에서 비롯된다. "인식". 객관적인 사실은 중요하지 않다. 개인의 의견 또한 중요하지 않다. 그저 대중의 뜻이라 비춰지는 어떤 것이 중요할 뿐이다. 여기엔 이런 이유가 붙는다. 누가 더 우월하고 누구는 열등하기 때문이라고.

영화 <가타카, 1997>에서는 위와 아래의 기준을 신체에 국한한다. 유전자 조작으로 신체 기능이 뛰어난 아이를 태어나게 하는데 여기서는 우성 유전자를 지닌 사람이 더 우월하다. 우리들이 마주하고 있는 현실에선 조상의 신분으로, 인종으로, 두뇌로, 돈으로 계급을 나눈다. 이처럼 계급의 기로는 절대적이지 않다. 말하기 나름이고 생각하기 나름이며 그날 그곳에 함께 한 타인의 의견이 중요하다. 애초에 계급을 나눌 수 있는지도 의문이지만 만약 가능하다면 제대로 된 기준이 만들어질 수 있는지도 의문이다.


## 잘못된 길


"아기가 태어나면 스스로 주인이 될 수 있어."


억눌려 살아가고 있는 리플리컨트들에겐 그들로부터 아이가 태어날 수 있단 사실은 진짜 하나의 기적과 같은 일이다. 그렇기에 이 사건 자체가 그들에게 거대한 용기와 힘을 부여할 수 있기에 의미 있다고 볼 수 있다. 하지만 그 의도야 어찌 되었든 자신이 스스로 주체가 되기 위해선 생식 능력이 필수는 아니다. 이런 잘못된 명제는 당장에야 기적이니 뭐니 해서 좋은 파장을 만들어낸다고 해도 그 이후엔 다른 문제를 야기할 가능성이 있다. 사람의 인식이란 특히나 큰 사건을 마주하고 난 후엔 무서울 정도로 강하게 자리 잡혀서 그른 일을 하기 쉽다.

# K가 맞이한 결말

K는 그 누구에게도 존중과 환영을 받지 못했다. 밖에선 껍데기 취급을 당하고, 위안을 주던 조이는 초기 설정에 의해 자신을 인위적으로 사랑하고 있었다. 한때 자신이 특별하다는 희망을 품었으나 그마저도 꺾이고 만다. 계속되는 결핍과 드러나는 자신의 무가치함. 그는 잔인하다 싶을 만큼 사랑을 받지 못한다. 그런데도 자신을 희생한다. 그의 희생은 무엇으로부터 비롯되었는가. 다 잃었음에도 미소 지으며 끝을 맺던 K. 마지막이 더 가슴 아팠던 건 일방적으로 갈가리 찢기기만 한 그의 마음에 대한 연민과 약간의 공감 때문일 것이다.

# 나, 다니엘 블레이크

켄 로치 감독의 나, 다니엘 블레이크(2016)

**영화의 중심**

처음 이 영화를 봤을 땐 영화가 복지 문제에서 시작하여 영국 복지시스템의 고발로 끝났다. 그땐 그저 복지 하나만을 담고 있는 영화였다. 그러나 두 번째는 좀 달랐다. 영화의 종착지를 알고 봤기에 여유가 생겼나 보다. 그 여유에서 발견된 건 사람이었다. 도움이 필요한 사람. 그리고 그들과 복지 사이의 관계.

그러고 보면 영화가 초점은 정말 잘 잡았구나 싶다. 복지가 사람을 위한 것인데 정작 이를 필요로하는 사람이 복지 혜택을 받는 데 애를 먹지 않나, 어떤 도움이 있는지 잘 알지도 못하며, 제때 도움을 받지도 못한다. 가까워야 할 도움이 필요로 하는 이들에겐 너무나 멀리 있다. 이런 문제점을 잘 보여주기 위해선 '복지' 그 자체에 집중하기보다 이를 필요로 하는 '사람'에게 집중하는 것이 더 효과적이다.

**복지란 무엇?**

처음 이 영화로 토론했을 때가 어렴풋하게 기억난다. 당시 나에게 있어 복지는 '소외층을 돕는 것'이었다. 소외된 자만을 위해 움직이며 그들이 최소한의 인간다운 삶을 살 수 있도록 지원해주는 것. 소외된 이들이 안정적인 생활을 하게 되면 결국엔 돌고 돌아 우리도 안정적인 삶을 살 수 있기 때문에 단기적으론 불필요해 보일지라도 미래를 내다봤을 땐 필요한 것. 하지만 본심은 복지가 필요하다고 주장할 때 내가 얻게 될 주변의 긍정적인 시선과 힘든 삶을 사는 이를 도울 때 얻을 수 있는 우월감을 위한 것. 그런 위선적인 행동이 내가 체감한 복지였다. 복지의 일부만 알던 시절, 잘 모르던 시절엔 그랬다.

사실 아직도 복지는 잘 모르겠다. 복지에 대해 한참 설명을 들었는데도 여전히 뜬구름 같기만 하다. 그래도 이젠 복지의 개념이나 대상, 목적이 이전에 내가 생각했던 것만큼 단순하지 않음은 안다. 그렇기 때문에 복지가 필요하냐는 질문에 선뜻 예라고도, 아니라고도 대답하기 어려워졌다. 어디서부터 어디까지가 복지인지, 누가 어떤 형태로 복지를 받고 있는지를 모르니 어떤 게 필요한지도, 어떤 게 불필요한지도 알기가 어렵다. 게다가 내가 그 적용 범위에 들지 않는다면 해당 요소의 필요성이 어느 정도인지 알기도 어렵다. 그래서 쉬이 답하기 어렵다.

## 다니엘 블레이크인 이유

영화는 다니엘 블레이크를 중심으로 돌아간다. 그는 자신의 기준에 엇나간 타인의 행동을 보면 쉽게 분노하던 심술궂은 이웃 영감님에서 힘든 삶을 사는 가족을 돕는 인정 많은 할아버지로 변하는 입체적인 인물이다. 그와 동시에 복지의 문턱을 넘지 못하고 있는 힘없는 개인이기도 하다.

나의 혼란은 여기서부터 시작되었다. 복지 문제를 고발하려면 처음부터 약하고 초라한 인물을 내세우는 게 더 효과적일 텐데 왜 드세고 약간의 거부감이 들 수도 있는 인물에서 출발하였을까. 감독은 다니엘 블레이크를 내세워 무엇을 보여주고자 한 것인가. 왜 하필 다니엘 블레이크, 이 고집불통 영감이었나.

어쩌면 답은 정말 간단할 수 있다. 우리 일상에서 흔히 마주할 수 있는 인물을 찾아서 그에게 다니엘 블레이크란 이름을 부여한다. 그런 다음 다른 것들은 최대한 덜어내고 이 너무나 익숙한 영감이 복지라는 것을 놓고 전전긍긍하는 모습, 그 자체를 관찰한 것일 뿐이며 그 외 다른 의도는 없을 수도 있다. 그러고 보니 복지라는 게 착하고 순종적인 사람이 받아야 하는 것도 아닌데 지원을 받는 이는 공손한 태도를 취해야 한다는 나의 착각 때문에 이런 혼란에 빠졌나 보다.


## 인간 대 인간으로서 복지의 적정거리


복지가 복지사라는 인간에 의해 전달될 때 어떤 형태로 다가와야 하는가. 솔직히 영화에서 보이는 복지사들을 아니꼬우면서도 한편으론 이해가 간다. 센터를 찾는 이들은 삶의 여유가 없는, 당장 먹고 살기 힘든 이들이 대부분이다. 그래서 화라는 것이 아슬아슬한 줄타기를 하는 상태이다. 이런 화에 차 있는 사람을 매일같이 대하는 사람들이라고 마음이 편할 수 있을까. 그래서 복지사들은 이 성난 사람들로부터 자신을 보호하기 위해 감정은 뒤로하고 기계적으로 딱딱하게만 굴었던 게 아닐까. 역시 복지를 사이에 둔 이들 간의 적정거리는 일정 거리 이상 떨어져 있는 게 서로를 위해 좋지 않을까 싶다.


## 정이란 연결고리, 그것의 적정무게

도움이 필요한 이들이 지닌 문제들은 국가, 도시가 제공하는 복지만으로 해결 가능한가? 드라마 <나의 아저씨>를 요즘 다시 보고 있다. 불행에서 벗어날 기미가 보이지 않아 체념적인 삶을 살던 손녀 가장 지안이 불쌍한 부장 동훈에 의해 조금씩 변화되어간다. 불쌍한 인간이 불쌍한 인간을 이해하고 의지한다. 이 영화도 마찬가지다. 케이티도, 다니엘도 서로가 함께했기에 영화를 보면서 답답한 한편으로 채워짐을 느낄 수 있었다.

영화 중 문제의 해결책으로 '인류애'를 드는 영화들이 있다. 사람 간의 정을 부정적으로 바라보는 나로서는 그다지 좋아하지 않는 결말이다. 그러나 이 영화도, 나의 아저씨도 좋게 보였던 가장 큰 이유는 진심으로 서로의 힘든 점을 공감할 수 있는 인물끼리 만났다는 점, 서로의 인생에 대한 책임 의식이 아닌 그저 돕는 행위에서, 공감하는 마음에서 그친다는 점 때문이다. 각자를 독립된 인간으로 남겨둠과 동시에 동질감이란 연결고리로 이어진, 그들 사이에 느껴지는 무거우면서도 가벼운 거리감이 적당해서 보기 좋았다.

# 브이 포 벤데타

제임스 맥티그 감독의 브이 포 벤데타(2005)

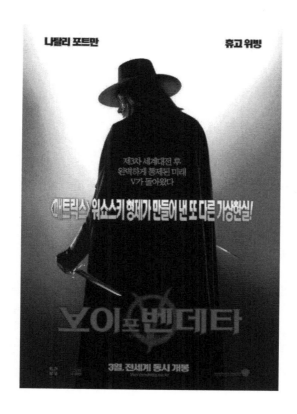

## 위대한 배우

나탈리 포트만은 대단한 배우다. 그녀의 연기는 아역일 때부터 대단했다. 그러나 이 영화에선 그녀보다 브이를 연기한 휴고 위빙이 더 눈에 띈다. 연출효과, 인물 자체의 매력을 제외하더라도 말이다. 배우에게 가면은 생각보다 큰 걸림돌이 될 수 있다. 오로지 언어와 제스쳐로 승부를 보아야 하기 때문에. 그런데도 휴고 위빙의 연기엔 어색함을 찾아보기 어려웠을 뿐 아니라 이 영화의 분위기를 이끌어가는 그의 강인한 힘마저 느껴졌다. 휴고 위빙은 정말 엄청난 배우다!

배우는 영화에서 큰 비중을 차지한다. 아무리 연출이 좋아도 배우가 영화와 어울리지 않는다면, 감독의 의도에 맞게 잘 살려주지 않는다면 그 영화는 망한다. 인물이 영화의 중심에서 극을 이끌어가는 구조라면 특히나 더 그렇다.

배우는 영화 안에서 강한 힘으로 사건을 이끈다. 그 힘은 표정, 제스쳐, 목소리 등과 같은 복합적인 요소의 합으로 드러난다. 관객은 배우의 힘에 따라 사건을 이해하고 그 힘이 형성하는 분위기에 따라 극에 몰입하거나 반하는 등의 반응을 보이게 된다.

지금까지 배우의 역할에 대해 이런저런 말을 했으나 솔직히 요즘은 전과 달리 배우에게 주목하지 않는다. 다들 연기력이 좋으니 크게 신경 쓰지 않게 되었달까. 그런데도 가끔 배우의 연기가 눈에 띄는 순간을 마주할 때가 있다. 감정연기? 이젠 그런 격하고 폭발적인 연기엔 큰 감흥을 못 느낀다. 오히려 현실에선 흔히 접할 수 없는 기이한 상황을 연기할 때, 특수한 상황에서 과장된 연기를 할 때 그런 감동적인 순간을 목격할 수 있다. 잘 살리기 어려운 연기를 어색함 없이, 너무나 어울리게 표현해내는 그들의 능력을 본 순간에는 경외감까지 든다. 특히나 이번 영화처럼 가면으로 표정을 숨긴 상황, 즉 노출되는 표현의 수단이 제한된 상황에서 그의 능력을 발견한다면 소름 끼치게 거대한 감동을 하게 된다.

## 벤데타, 그 숭고한 서사

11월 5일에서 시작되어 11월 5일로 끝이 나는 이 거대한 복수극. 그 중심엔 의회 그리고 그에 반하는 한 인물이 놓여있다. 이 이야기의 중심이자 의회에 반하는 인물인 '브이'의 이야기는 '에비'를 통해 전해진다. 모든 것은 누군가의 의도로 빠져나갈 틈 없이, 치밀하게 짜여 있다. 브이가 보여주는 이 서

사는 단순한 복수극이 아니다. 아주 고도로 치밀하고 완성도 높은 서사이다.

영화는 여기에 한술 더 뜬다. 브이는 종종 셰익스피어의 작품과 같은 고전의 문장을 인용한다. 그 인용문을 들을 때면 웅장한 클래식이 흘러나오는 듯한 착각에 빠진다. 그리고 암시에 걸린다. 브이가 만들어가는 이 피의 복수가, 그 길을 향해 차근차근 나아가는 발걸음이 단순한 복수극에 그치지 않고 마치 고전 작품과 같은 숭고하고도 역사적인 가치를 지닌 서사라고.

그러한 암시 효과가 아니더라도 이 작품의 숭고함은 영화 곳곳에서 느낄 수 있다. 영화의 형식, 배우의 연기, 언어, 영상의 구도, 음향이 영화보다 극작품을 보는 듯한 느낌을 준다. 이 모든 것이 스크린이 아닌 무대를, 현대가 아닌 고전을 바라보고 있는 듯한 착각을 일으킨다. 또한 큰 줄기를 따라 이야기가 짜임새 있게 진행된다. 모든 장면은 명확하고 깔끔하게 표현되어있다. 매 순간의 폭발적인 힘은 잘 응축되어있다. 웅장하면서도 꽉 찬 느낌. 감히 평하기 어렵지만 이런 느낌이 영화의 완성도를 더욱 높인 것 같다.

## 브이를 위한 벤데타

우선 브이의 설정에 대한 말부터 시작해야겠다. 브이는 복수심에 불타는 인물이다. 그는 셔틀러 정권이 정치 권력을 얻기 위해 만들어진 실험체였다. 실험체로서 브이는 큰 고통을 받는다. 또 다른 고통은 외로움으로부터 온다. 그는 가족이 없다. 친구도 없다. 누군가에게 위로를 받기도, 의지할 수도, 살아갈 희망을 얻을 수도 없다. 홀로 이 모든 어려움을 극복해야 하는 인물이다.

그런 외로움과 고통, 분노로 똘똘 뭉친 자의 벤데타. 그의 벤데타 안엔 많은 이들이 포함된다. 극 중 등장하는 모든 이들이 그의 의도대로(실제로 그가 만들어낸 이야기인지는 모르겠다) 움직인다. 그리고 대중. 그동안 셔틀러 정부로부터 불만을 품고 있던 대중이 브이의 극에 맞춰 자신의 주장을 사회에 드러낸다. 분노를 표출한다.

문제는 그렇게 얻은 자유가 과연 정당성을 가질 수 있는가 하는 것이다. 브이는 나쁘게 말하면 고통받다 미쳐버린 사람이다. 그의 복수는 대중을 위한 것이 아니다. 그런데도 대중을 그의 계획에 포함했다. 그렇게 쟁취한 대중의 자유가 과연 정당한 것인가. 대중은 브이를 그들의 영웅이라, 자유의 상징이라 믿을 것이다. 그리고 이러한 믿음이 지속하면 이것이 곧 진실이 되어버릴 것이다. 과연 자신을 위해 타인을 희생시킨 영웅을 영웅이라고 부를 수 있을까. 아무리 결과가 좋다 하더라도 시작점이 엇나가 있다면 그 성공은 또 다른 몰락의 발판이 될 수 있다.


## 다른 신념


신념은 내게 부정적인 의미로 새겨져 있다. 신념이라는 단어만 들으면 무책임이란 단어부터 연상된다. 이는 자신의 신념이 중요한 나머지 가까운 이들이 원치 않는 희생을 하게 된 경우를 간접적으로나마 보게 된 탓일 것이다. 그 때문에 내게 있어 신념은 이상적이고 숭고한, 고결한 무엇이라기보다 그저 겉치레에 불과한, 자신의 말과 행동에 취해 분별력을 잃은 불완전한 상태가 나은 불행일 뿐이다.


그런데 정말로 신념은 나쁜 것이며 분별력 있는 사람이라면 절대로 가져선 안 되는 것일까? 신념이라는 것만 믿고 자신의 삶을 불구덩이 속에 내던지는 이들이 잘못된 것일까? 좀 더 생각해보면 내가 신념 그 자체를 부정적으로 본 게 아니란 생각이 든다. 내 신념을 향한 불편한 마음은 대부분 신념이 아니라 신념이 향하는 대상에 맞닿아있다. 내가 불편하게 보는 신념은 사회라는 거대한 집단을 위하는 것이다. 이와 반대로 난 내 주위의 사람, 더 좁게는 나라는 보다 작은 집단을 중요시하는 사람이다. 그러한 대상의 차이가 신념을 향한 불편함을 발생시켜왔다.

신념의 사전적인 의미는 굳게 믿는 마음이란다. 이제 보니 내게도 신념이 있다. 그렇게 불편하게만 여겼음에도 굳게 믿는 무언가, 신념이 내게도 존재하는 것이다. 이는 나뿐만이 아닐 것이다. 신념은 모든 이의 마음속에 있다. 그것들은 간절한 바람을 담고 있단 점에서 모두 같다. 그저 위하는 대상과 방향만이 다를 뿐이다. 그런 차이만 존재한다.

# 헤드윅

존 카메론 미첼 감독의 헤드윅(2000)

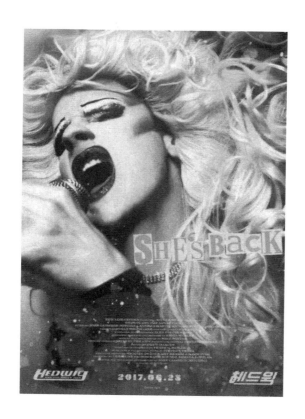

## 헤드윅을 얼마나 잘 받아들였는가

엔딩크레딧이 올라갈 때 들었던 생각은 하나뿐이었다. 내가 이 영화를 제대로 이해할 수 있을까. 어찌 보면 헤드윅은 단순하다. 한때는 남자였으나 지금은 어느 위치에도 있을 수 없는, 수많은 이들의 비난을 한 몸에 받는 아티스트. 그의 심정을 담아낸 것이 이 영화다. 소재와 스토리 같은 큰 맥락은 뚜렷하게 잡혀있다. 그 때문에 여기서 관객이 길을 잃기란 쉽지 않은 일일 것이다. 그만큼 보여주고자 하는 바가 충실하고 깔끔하게 담겨 있다.

그러나 좀 더 작은 것에 집중해보면 그렇게 어려울 수가 없다. 난 이 영화의 전부라 할 수 있는 헤드윅을 이해하지 못했다. 그의 연기력이 부족했다거나 플롯이 엉성했다거나 영화 자체의 표현력이 부족했다거나 해서 그런 것은 아니다. 그저 헤드윅이란 인물을 이해하기엔 아직 내가 덜 성숙한 탓이다. 그의 감정선은 매번 이해한 듯싶다가도 금세 모호해지고 만다. 그의 표정과 제스처, 그 모든 것이 보이는 것 이상으로 복잡하다. 다양한 경험과 감정, 사고가 갖춰진다면 그땐 헤드윅이 보여주는 모든 것을 지금보다는 잘 이해할 수 있을 텐데. 아직은 내가 부족하기만 하다.

## 당당하고 유쾌하게 몸을 부풀리다

내가 무슨 생각을 하고 있는지, 어떤 과거를 통해 지금의 내가 만들어졌는지, 무엇을 꿈꾸고 있는지. 영화 헤드윅은 헤드윅이란 사람, 그가 고스란히 드러나는 무대이다. 대부분의 씬이 무대 위(너무나 다양하고 이색적인 무대였다)에서 노래와 퍼포먼스를 하는 헤드윅을 중심으로 진행되는 것도 어쩌면 현재, 과거 그리고 미래의 자신을 있는 그대로, 솔직하게 까발리기 위함일 것이다.

헤드윅의 이야기는 다양한 색감으로 채워져 있다. 그의 지난날, 그때의 심경은 가사에 새겨져 로큰롤을 타고 흘러나온다. 정체성의 혼란, 다수와는 다른 모습의 나를 발견할 때 느끼는 불안감과 소외감은 그리 유쾌하지 못하다. 그런데도 이를 화려하고 경쾌하게, 당당하게 발산시키는 헤드윅.

그러나 그의 의도와는 달리 그가 더욱더 안쓰러워 보인다. 주류의 세상으로부터 자신을 지키기 위해 있는 힘껏 몸을 부풀린 채 안간힘을 쥐어짜 내는 모습이 금방이라도 무너져내릴 것만 같다. 그런 그의 모습이 더 큰 불안감을 형성한다.

## 엉망진창인 인생

쭉 뻗은 인생을 달리는 나를 상상해봤다. 일단 자신감에 차 있으며 어떤 일이든 긍정적으로 바라볼 것이다. 늘 기쁜 마음으로 온화하게 사람을 대할 것이다. 세상은 나에게 이롭기만 하다 여길 것이며 세상에 배신이란 존재하지 않는다 믿을 것이다. 그렇게 좋은 사람이 될 것이다.

그러나 세상은 내게 그리 호의적이지 않다. 내 뜻대로 되는가 싶다가도 엇나가기 일쑤다. 사람은 이기적이고 자기중심적이다. 세상은 내가 아닌 주류 또는 힘과 영향력 있는 사람을 중심으로 돌아간다.

헤드윅은 평범한 사람의 눈엔 뒤틀릴 대로 뒤틀린 인생이다. 굉장히 다사다난하다. 사람들은 이런 복잡하고도 어려운 인생을 산 사람에게 경험이 풍부하다며 좋게 평가한다. 글쎄. 이젠 잘 모르겠다. 그게 정말 좋은 것인지. 그의 아픔이 그에게 좋은 영향을 주기만 했을까. 쓴맛의 존재를 알게 되면 다시는 그 맛을 보지 않기 위해, 자기방어를 위해 자신을 경직된 인간으로 만들어버리진 않을까.

## 나의 위치

사회가 정해준 몇 가지 기준으로만 나의 위치를 결정짓는 것만큼 어리석은 짓은 없다. 세상은 회색으로 가득 차 있다. 또한 몇 가지 특성만으로 자신을 규정지을 수도 없으며 설령 규정짓더라도 시간과 상황에 따라 그마저도 변한다. 우린 그런 현실을 잘 알고 있다. 세상을 칼로 자르듯 이것 아니면 저것으로 구분할 수 없고 그에 맞춰 살 수도 없단 사실을.

그런데도 늘 똑같은 실수를 반복한다. 나를 남자와 여자로 가르고, 직업으로 가르고, 내가 속해있는 집단으로, 내가 좋아하는 일과 싫어하는 일로 가른다. 그렇게 매번 나란 존재를 있는 그대로 보는 것이 아니라 이것과 저것으로 갈라댄다. 그렇게 자신을 난도질해대며 자신의 위치를 파악하려 한다.

# 크래쉬

폴 해기스 감독의 크래쉬(2004)

## 연결성, 뒤엉킨 실타래를 따라

여러 개의 사건과 인물 그리고 뒤엉킨 시간은 우리에게 익숙한 흐름은 아니다. 그런데도 우리는 영화가 제시하는 흐름에 맞춰 따라가고 영화가 보여주는 것을 이해할 수 있다. 이 복잡하고 익숙지 않은 방식은 마치 엉킨 실타래와 같다. 이제 우린 이 꼬인 부분에 온 신경을 집중한다. 그리고 이를 풀어내는 행위에 집중한다. 그러다 보면 여럿 등장하는 사건과 인물도, 뒤죽박죽인 시간도 더 이상 중요지 않게 된다. 실 그 자체, 모든 것을 연결하고 있는 이 흐름만이 중요하다.

화면 속, 인물들의 절묘한 교차. 다른 사건, 같은 단어. 모든 사건은 연결되어 있다. 그리고 이 모든 사건을 관통하고 있는 '충돌'. 잘못된 인식이 불러일으킨 오해와 분노는 하나의 줄기를 형성한다. 이는 영화 속 세상을 이해하기 위한 출발선을 제시한다.

## 분위기

동화적이다. 몽환적이면서도 따뜻하다. 가볍고 부드럽다. 공중을 자유롭게 부유하는 듯한 기분. 영화에 전반적으로 깔린 분위기는 방탄 투명망토를 선물 받는 씬과 같다. 열쇠수리공과 그의 아이가 주고받는 대화처럼 사랑스럽고, 아이의 방처럼 따뜻한 것들로 가득 차 있으며, 나긋한 자장가가 흘러들어올 것만 같은 그런 분위기.

충돌의 연속인, 긴장감이 감도는 이곳에서 마주한 이 상상도 못 할 분위기는 괴리감을 불러일으키기보다 다정하고도 친숙한 느낌을 준다. 보통 자극적인 것, 불편한 것은 우릴 그 상황으로부터 도망치게 하거나 부정적인 감정을 증폭시킨다. 또는 짧고 강력한 쾌감을 선사하기도 한다. 그러나 다정하고 따뜻한 것은 우리가 그 상황에 좀 더 오래 머물게 한다. 그렇게 분위기에 취해 경계를 풀고 그곳에 동화되어 나 또한 다정한 눈을 하게 한다. 부드러워진 눈과 태도로 주변을 찬찬히 뜯어보게 하고 생각하게 하고 마음에 새기게 한다.

## 충돌

충돌이란 단어는 대체로 부정적이다. 그래서 충격이 컸다. 이런 폭력적이고 신경질적인 단어가 동떨어진 인간과 인간 사이를 연결 지어줄 출발점이 될수 있단 것이.

분노는 어디서부터 오는가. 내면의 막연한 불안에서부터 오기도 하고 외부가 주입하기도 한다. 내가 이것밖에 안 되는 사람인가 하는 자괴감이 분노하게 만들기도 한다. 또는 내가 만든 기준에 부합하지 못하는 저 사람, 저 상황이 날 분노케 하기도 한다. 분노를 만들어내는 원인은 무수히 많다. 그리고 인간은 상황에 대해 정확하고 객관적인 판단능력이 없다. 그래서 언제나 정확한 분노의 원인은 알 수가 없다. 그저 가장 그럴싸한 이유를 추측할 뿐이다. 인간의 부족한 판단력과 지극히 개인적인 관점, 그 순간의 상태는 생각과 마음을 오염시킨다. 그래서 분노는 늘 조심해야 한다.

충돌에는 간극이 불러일으킨 분노가 실린다. 크래쉬의 충돌에도 누군가의 분노가 수반된다. 다만 평소 분노가 보여주는 지속성을 지니진 않는다. 이 영화의 분노는 그 영원히 이해하지 못할 평행선을 내달리는 형태가 아니다. 이들은 충돌을 겪고 난 후 연이어 함께 충돌했던 이의 또 다른 모습을 마주한다. 충돌은 관심의 시작이다. 대상을 향한 감정을 느끼기 시작한다. 긍정적이든 부정적이든 그것은 중요하지 않다. 시작되었다는 게 중요하다.

## 세상의 온도

사람이 좋아지는 영화인가 싫어지는 영화인가? 어리숙하고 섣부르게 행동하고 다른 이에게 피해 주고 상처 주고. 대체로 못난 모습만 보았다. 그러나 사람에 대한 혐오는 느끼지 못했다. 오히려 인물 모두에게 애정이 갔다.

이 세상은 따뜻한가? 아니. 현실을 보면 세상은 차게 식어있다. 현실을 알아갈수록 자연스레 사람들과의 정을 끊는 법을 배워나갔다. 나의 것을 빼기지 않으려면 정신을 똑바로 차리고 한순간도 경계를 늦추지 않아야 한다. 기회가 보이면 뺏어오기도 해야 한다. 너와 난 일시적으론 아군이 될 수 있지만, 이 관계는 영원하지 않다. 믿었다간 나만 손해를 보게 된다.

연출의 힘인 것인지 영화의 힘인 것인지는 모르겠으나 영화를 보는 동안 난 마치 신이 된 기분으로 영화 속 사람들을 여유롭게 내려다보았다. 그들은 저 아래에서 할퀴고 할퀴어졌다. 이런 폭력성은 가끔 유흥거리로 취급되곤 하는데 이들은 그런 느낌을 주진 않는다. 그중 누구도 응원하지도 않았고 그들의 싸움을 보고 쾌감을 느끼지도 않았다. 다만 보는 내내 안타까운 마음만 들었다. 인간은 왜 저리도 나약하고 멍청할까. 그런 측은한 마음과 지금 내가 가진 관찰자로서의 여유가 그들이 보여주는 상황을 이해하게 하고 그저 안타까움만 느끼게 한다.

# 죄 많은 소녀

김의석 감독의 죄 많은 소녀(2017)

## 억울한 소녀의 생명력

분명 유쾌한 영화는 아니다. 그런데도 이 영화는 한 번씩 찾고 싶어진다. 굉장히 뜬금없긴 하지만 이 영화는 <친절한 금자씨, 2005>를 떠올리게 한다. 사실 표면적인 느낌으로는 이들 사이에 유사점이라 할 만한 것은 없다. 복수라는 소재가 겹치긴 하나 관련성을 찾기엔 느낌에서 상당한 차이가 있다. 분위기도, 색채도 너무나 다르니까.

그런 이들의 사이는 나의 지극히 개인적인 끌림에 의해 이어진다. 자극적인 것, 쾌감을 느낄 수 있는 것, 나약하지만 강한 것, 밟힐수록 꿈틀거리는 것, 상실로부터 얻은 억척스런 생명력과 분노에서 시작된 끊임없이 샘솟는 파괴력을 함께 지닌 것. 그래서 이 영화에선 답답함보다 후련함을, 참담함보다 약간의 쓸쓸함만을 더 느끼게 된다.

금자도, 영희도 자신을 지키기 위해 독이 올라있다. 상처로 인해 뭉개진 감정을 가슴에 묻고 무너진 자신을 되살리기 위해, 두 번 다시는 당하지 않기 위해, 이제는 나를 지키기 위해 복수를 행하는 독사. 그런 그들로부터 일상적이지 않은, 독특하고도 자극적인 힘을 얻게 된다. 그리고 그 힘으로 난 다시 영화를 찾게 되고 또 보게 된다.

## 죄 많은 소녀의 죄

죄 많은 소녀가 저지른 죄의 무게는 생각보다 가볍다. 겨우 말 한마디. 말 한마디가 미치는 영향도 크다고 말하는 이도 분명 있을 것이다. 나도 그중 한 사람이었고. 그러나 하나의 힘만으로 인간을 움직일 수 있을지에 대한 의문을 던지고 있는 요즘, 이 소녀가 짊어지게 된 말 한마디에 대한 잘못의 실체는 보잘것없고 초라한 규모로 축소되어 내게 전달되었다.

우린 지금, 이 순간에만 갇혀 살지 않는다. 우리의 삶은 연속적이다. 지금의 나는 방금 스쳐 지나간 순간으로부터 만들어진다. 그리고 어제 만난 이들과의 사소한 대화에서도, 지금 듣고 있는 음악에서도, 길을 건너며 본 간판에서도, 해가 뜨고 지는 시간에서도 영향을 받는다. 우리 사람들 세계에선 하나의 원인만으로 만들어지는 결과는 없다. 우리의 생각과 행동은 수많은 지난날과, 수많은 이들과의 만남과, 지금 펼쳐진 이 다채로운 상황이 기가 막힌 타이밍 아래, 적절한 배합으로 뒤섞여야만 만들어질 수 있는 것이다.

영희의 그 말 한마디도 그렇지 않을까? 감독의 시선만 따라가도 경민의 자살에 보다 많은 것이 담겨있음을 알게 된다. 부모님, 집안 분위기, 친구, 학교에서의 위치, 즐겨듣는 음악, 주변 이들이 자신을 바라보는 시선과, 자신을 대하는 태도와, 자신에 대해 떠들어대는 말. 그 모든 것들이 경민을 죽이는 데 일조했다. 그래서 극이 진행될수록 영희의 죄는 가벼워진다. 그리고 그녀로부터 덜어진 죄는 경민을 둘러싼 다른 이에게로 가 그 무게를 점점 더해간다.

## 죄에 갇힌 이들

사람들 사이에서 누군가의 죄, 잘못에 대해 떠들 일이 생길 때면 그에게 필요 이상의 무게가 실리고 있음을 종종 느낀다. 나의 죄, 그것이 설령 내 입에서 오르내리고 있는 그 누군가의 죄와는 무관한 것일지라도 타인의 죄에 대해 논할 때면 나는 가벼워진다. 누군가에게 자신의 죄를 덮어씌우고 있는 중이라면 그 정도는 더 커진다. 보통의 인간은 평생을 타깃이 된 누군가에게 나의 죄를 덧씌우는 일을 반복한다. 그렇다. 일반적인 인간이라면 옆 사람에게 은근슬쩍 내 짐을 떠넘기는 것쯤은 너무나 당연하고 익숙해서 일말의 미안함도 느끼지 못한다.

영화 이야기로 돌아와서 경민의 엄마와, 한솔과, 담임선생님을 떠올려보자. 그들이 소녀를 다그치면서, 몰아세우면서 보여준 그 모든 행태를. 그들은 자신에게 얹힌 무게만큼 더 격하게, 더 많은 말을 내뱉는다. 그리고 학교 안 소녀들. 그들이 떠들어대던 것과 한 소녀의 죄를 가중하면서, 소녀를 향한 왜인지 모를 분노를 표출하면서, 그 모든 과정을 그저 즐기면서 이 사건이 불어넣은 일시적인 분위기에 마구 취해버린다.

죄를 떠넘긴다는 것은 나를 가볍게, 자유롭게 하는 것이다. 나를 무겁게 하는 죄책감이 생기면 주변에서 정한 타깃을 향해 한바탕 모질게 욕을 쏟아낸다. 그럼 감정이 가벼워지고 다시 일어설 힘을 얻게 된다. 또한 힘없는 피해자를 대신하여 복수하는 데 보탬을 준 셈이기 때문에 보람마저 느낄 수 있다. 뿐인가. 내 집단이 정한 공동의 적에게 욕하면서 주변 이들과 즐거운 유대관계도 쌓을 수 있다. 그리고 그렇게 우린 죄의 굴레에 갇혀 똑같은 떠넘기고 떠넘기는 쳇바퀴를 돌리게 된다

# 내일을 위한 시간

장 피에르 다르덴, 뤽 다르덴 감독의 내일을 위한 시간(2014)

## 현실 인간

인간은 이렇지만도, 저렇지만도 않다. 물질만 추구하고 이기심이 넘치는 이런 인간만 있지도, 이웃을 사랑하고 정이 넘치는 저런 인간만 있지도 않다. 인간은 그 양극단을 때에 따라 오가는 불안정하고 불확실한 생명체다. 보너스를 택한 이들뿐만 아니라 산드라의 편에 선 이들 또한 '보너스를 택한 사람이 몇 명인지'를 궁금해하고 뜸을 들이며 저울질하는 모습을 보인다. 보너스를 택한 이들 중엔 양심의 가책을 느끼고 산드라에게 미안함을 전하는 이도 있다. 물론 극단에 위치한 이도 있다. 이렇게나 다양한 이들이 산드라의 복직과 보너스라는 선택의 갈림길에 서 있다. 그리고 이 선택의 과정에서 저마다 유사한 듯 다른 양상을 보인다.


이 영화는 영화적이지 않은, 지극히 현실적인 인간을 보여준다. 산드라에게 극단적인, 영화에서 자주 보이는, 특징이 뚜렷한 캐릭터는 필요하지 않다. 우울함에 젖어 자꾸만 포기하고 싶어지는 그녀에게, 세상은 부정적인 방향으로만 치우쳐있다 믿는 그녀에게 평범하고 현실적인 인간과의 만남은 상당한 의미를 지닌다.

## 직접 마주한다는 것

상처받기 무섭다고 뒤로 물러나 있기만 하면 두려움과 우울함은 커진다. 그렇다고 세상이 내게 따뜻하고 긍정적일 것이라 기대한다면 상실과 상처가 커진다. 산드라는 현실 인간을 만난다. 이들은 그녀가 그렸던 상황에 부합하거나 예상했던 것과는 차이를 보이거나, 따뜻하거나 차가운 그런 애매모호한 반응을 보인다.

주말이라는 짧은 시간 동안 현실 인간을 만나면서 산드라의 감정은 어느 한 곳에도 정착하지 못하고 떠돌게 된다. 그런데 어쩌면 이런 감정의 부유 상태가 그녀에게 객관적인 시선과 용기를 불어넣었을지도 모르겠다. 견디기 힘든 감정이든, 가슴 벅찬 감정이든 직접 마주하고 겪게 하는 것. 현실 인간이 보여주는 진짜 현실은 산드라를 그녀의 상상 속 세계로부터 끄집어낸다.

산드라는 행복하다는 말로 영화의 끝을 맺는다. 원하는 것을 얻지 못했음에도 무너진 모습을 보이지 않는다. 오히려 강해졌다. 곧게 내린 뿌리보다 유연하게 뻗어 내린 잔뿌리가 더 강하다. 그녀를 한 길로 몰아세우는 대신 여러 길을 맛보게 한 것, 그것이 바로 그녀가 만난 현실이 부여한 힘이다. 크든 작든 직접 보고 계속해서 확인해야 한다. 그럼 이전엔 보지 못한 것을 새로

이 발견할 수 있다.

## 발견하길 기대하다

산드라가 원한 것은 무엇이었나, 그녀에게 필요한 것은 무엇이었나? 산드라의 우울증이라는 설정과 그녀에게 주어진 며칠 안 되는 짧은 기간, 그녀를 자꾸만 밖으로 내모는 남편의 태도, 이제 다시 시작해보려는 그녀의 기대를 꺾어버린 상황. 모든 것이 그녀를 철저히 독립된 존재로 고립시킨다. 그녀를 압박함으로써 조급하게 만든다. 산드라는 이 과정에서 자꾸만 포기하려고 한다. 이런 상황, 이런 심리적으로 위축된 상태에서는 겁쟁이가 되기 쉽다.

극이 진행될수록 산드라의 말에 힘이 담긴다. 소극적이던 모습에서 억울함을 호소하기도 하는, 그녀로선 대범한 모습까지 보여준다. 태도뿐만이 아니라 마음도 서서히 움직인다. 이렇게 그녀가 세상을 향한 시선을 틀게 되는 계기, 그것은 포기하다 마주한 가능성에 있다. 인간애라는 이름의 이 가능성은 따뜻하고 힘찬 엔딩을 만들어낸단. 결국, 이 싸움에서 이기는 것은, 다시 일하게 되고 급여를 받는 것은 중요한 게 아니었다. 그저 인간의 따스함을, 자신을 위해주고 사랑해주는 누군가가 있음을 알아차리는 하나의 사건이 필요했던 것이다.

영화, 탐구노트 2019

발 행  |  2024-05-08

저 자  |  유온

펴낸이  |  한건희

펴낸곳  |  주식회사 부크크

출판사등록  |  2014.07.15(제2014-16호)

주 소  |  서울 금천구 가산디지털1로 119, A동 305호

전 화  |  1670 - 8316

이메일  |  info@bookk.co.kr

ISBN  |  979-11-410-8400-4